दिल्ली दरबार

(उपन्यास)

दिल्ली दरबार

सत्य व्यास

हिन्द युग्म
hindyugm.com

westland ltd

61, II Floor, Silverline Building, Alapakkam Main Road, Maduravoyal, Chennai 600095

93, I Floor, Sham Lal Road, Daryaganj, New Delhi 110002

www.westlandbooks.in

Hind Yugm

201 B, Pocket A, Mayur Vihar Phase-2, Delhi-110091

www.hindyugm.com

Published by Hind Yugm and Westland Ltd 2016

Printed at Thomson Press

:d as the author of this work. mes, characters and incidents agination. Any resemblance to is entirely coincidental.

; and printing the book. Neither hold any responsibility for any nd Yugm and WESTLAND, the bility for damages and losses of All disputes are subject to the

याद कर लेता हूँ:

माँ को– जिन्होंने अपने हिस्से का संस्कार दिया।

प्रियंका को– जिसने अपने हिस्से का वक्त दिया।

विनय और ज्ञान भैया को– जिन्होंने अपने हिस्से की सीख दी।

गुंजन, अनुराग, अखिलेश, अजीत, राहुल जैसे दोस्तों को– जिन्होंने अपने हिस्से के किस्से दिए।

मनीष वंदेमातरम् को– जिन्होंने मेरे किस्से को अपना हिस्सा ही दिया।

अगर न जोहरा-जबीनों के दरमियाँ गुजरे
तो फिर ये कैसे कटे जिंदगी, कहाँ गुजरे

−जिगर मुरादाबादी

साहब

उस रोज दो घटनाएँ हुई थीं। दिन में मुहल्ले वालों ने शुक्ला जी की टीवी पर रामायण देखा था और रात में महाभारत हो गया था। दिन में सीता जी अपनी कुटिया से गायब हुई थीं और रात में गीता जी (शुक्ला जी की बेटी) अपनी खटिया से। सीता जी जब गायब हुई थीं तो रावण के पुष्पक विमान पर नजर आईं। गीता जी जब गायब हुईं तो पुजारी जी के मचान पर नजर आईं। रावण ने सीताहरण में बल प्रयोग किया था। पुजारी जी के बेटे देवदत्त मिश्रा ने गीतावरण में लव प्रयोग किया था। सीता जी को पुष्पक विमान पर जटायु ने देखा था और उन्हें बचाने की भरपूर कोशिश की थी। गीताजी को पुजारी के मचान पर जटाशंकर चाचा ने देख लिया था और बात फैलाने में कोई कोताही नहीं की थी।

खैर, वो वक्त कुछ दूसरा था। नादानों के कन्यादान में देर नहीं की जाती थी और अफवाह उड़ने से पहले विवाह की खबर उड़ा दी जाती थी। पकड़ुआ लव अक्सर अरेंज मैरेज में तब्दील कर दिया जाता था। सो, पुजारी जी और शुक्ला जी ने भी मिलकर देवदत्त और गीता जी का विवाह करा दिया और जैसा कि होना था; राहुल मिश्रा पैदा हुए।

राहुल मिश्रा कौन? जी, राहुल मिश्रा वह जिनकी यह कहानी है।

कहते हैं कि बच्चे के भविष्य में उसके जन्म के साल के ग्रह-नक्षत्रों

का बहुत योगदान होता है। राहुल मिश्रा जिस साल पैदा हुए उस साल फिल्मी दुनिया में प्यार, हमारी दुनिया में तकरार और आभासी दुनिया में ऑप्टिकल फाइबर के तार तेजी से फैल रहे थे। जाहिर था कि इसका असर राहुल मिश्रा पर भी पड़ना था। पड़ा भी।

इधर राहुल मिश्रा पैदा हुए और उधर राहुल के पिताजी की नौकरी की डाक आई थी। देवदत्त मिश्रा को गाँव-घर छोड़कर टाटानगर आने का सरकारी फरमान जारी हुआ था। वो आखिरी दिन था जिस दिन राहुल मिश्रा के पिता खुश हुए थे। क्योंकि उसके बाद तो...

राहुल मिश्रा धरती पर आ चुके थे।

राहुल मिश्रा पैदा ही प्रेम करने के लिए हुए हैं; ऐसा उनका खुद का कहना है। राजीव राय के बाद एकमात्र इंसान वही हैं जो प्यार, इश्क और मुहब्बत में ठीक-ठीक अंतर बता सकते हैं। उनके गुणसूत्रों का असर पहली बार छठी क्लास में परिलक्षित हुआ था जब उन्होंने क्लास टीचर को 'आई लव यू' कह दिया था। जवाब में क्लास टीचर ने उनके गाल खींचते हुए 'आई लव यू टू' क्या कह दिया, अगले दिन वो दुकानों में कॉन्ट्रासेप्टिव पिल्स खोजते नजर आए।

सातवीं क्लास में पहली बार घर पर शिकायत आई तो राहुल की माँ ने लड़की की माँ को यह कहकर घर से खदेड़ दिया कि आपके दिमाग में कचरा है। राहुल तो अभी 'बच्चा' है। हालाँकि पिताजी उस दिन ही समझ गए थे कि पूरा 'लुच्चा' है।

आठवीं क्लास में उन्होंने हिस्ट्री का पेपर इसलिए अधूरा छोड़ दिया क्योंकि 'भव्या' के पेन की इंक खत्म हो गई थी और उन्हें ऐसी स्थिति में उसे अपना पेन न देना अनैतिक लगा था। यह और बात कि 'भव्या' कभी जान ही नहीं पाई कि साहब के पास दूसरी कलम नहीं थी।

नवीं क्लास में नौ दफा उनके द्वारा डाइसेक्शन के लिए पकड़ कर लाए गए मेढक के मादा निकल आने पर उन्हें क्लास से निकाल दिया गया। वह आज तक समझ नहीं पाए कि उनकी गलती क्या थी?

दसवीं क्लास में जब इंटर स्कूल डिबेट के लिए राँची गए तो सामने मिली पहली लड़की से कहा, "Did it hurt when you fell from heaven?" बात का ऐसा असर हुआ कि लड़की डिबेट भूलकर डुएट रटने लगी।

ग्यारहवीं क्लास में मैथ्स महज इसलिए छोड़ दिया क्योंकि बायोलॉजी वाले ट्यूशन सर की बेटी बहुत खूबसूरत थी और उससे भी खूबसूरत था उसका नाम। किसलय सिन्हा। साहब ट्यूशन के दिनों में किस के लय में ऐसे डूबने-उतराने लगे कि माट साब को भी एहसास हो गया कि बच्चों को जीवविज्ञान कुछ ज्यादा ही समझ आ रहा है। माट साब ने ट्यूशन पढ़ाना ही बंद कर दिया। साहब को आज भी किसलय के पढ़ाई पूरी नहीं कर पाने का अफसोस है।

बारहवीं क्लास में स्कूल में पहली दफा MMS क्रांति राहुल मिश्रा ही लेकर आए थे। वो तो बाद में पता चला कि जिस विडियो को वे अपना बता रहे हैं वो दिल्ली के किसी स्कूल का है।

बी.एससी. फर्स्ट इयर में आए तो जुड़वा बहनों में से एक मिनट बड़ी बहन सिद्धि को साध लिया। सिद्धि ने एक साल के रिलेशन के बाद ऑरकुट रिलेशनशिप स्टेटस बदल कर 'कमिटेड' करने को कहा। इन्होंने फौरन बदल दिया। सिद्धि को रिद्धी से। उस बेचारी को रिलेशनशिप स्टेटस से कोई समस्या नहीं थी।

क्या-क्या बताएँ सर!

क्या, हम इतना सब कुछ कैसे जानते हैं?

अरे भाई! क्लास टू से उसके साथ नथे हुए हैं हम। एक साथ पढ़ाई जोतते आए हैं। वो हीरा हम मोती। एक ही बेंच। समझे! हम नहीं जानेंगे तो कौन जानेगा! कहिएगा तो क्लास टू से क्लास फाइव की कहानी भी बता देंगे। द्वंद समास समझते हैं ना? हाँ, बस वही समझ लीजिए। द्वंद समास का सजीव उदाहरण हैं हम दोनों। इनके पाप-पुण्य भरे सारे कारनामों के हिस्सेदार रहे हैं; इसलिए जानते हैं कि उनमें कुछ तो करिश्माई है। वो लड़कियों के लिए झगड़ते हैं तो लड़कियाँ उनके लिए लड़ती हैं। मेरी कविताओं और इंटरनेट की सविताओं की बखिया उधेड़ने में माहिर हैं। दो मिनट में 'गालिबों' की शायरी को 'बालिगों' की शायरी बना सकते हैं।

उनके एकमात्र दोस्त हम हैं और हमारे एकमात्र दोस्त वो। बाकी, लड़कियों को वो दोस्त नहीं मानते। उन्हें 'और ऊपर' का दर्जा देते हैं। इस 'और ऊपर' के दर्जे के पीछे भी कोई दोअर्थी रहस्य हो तो मुझे माफ करें। मैं किताबी कीड़ा हूँ। राहुल मिश्रा के लेवल का आईक्यू मुझमें नहीं।

कहानी मेरी नहीं है तो मेरे बारे में जानना भी उतना जरूरी नहीं है; फिर भी आप पूछ रहे हैं तो बता देता हूँ। मैं मोहित सिंह। अपने ज्यू-फ्रो हेयर स्टाइल के चलते 'झाड़ी' भी कहा जाता हूँ। कैसा दिखता हूँ यह तो और भी जरूरी नहीं। हाँ, राहुल कैसा दिखता है यह बता दूँ। यदि आप पाठक हैं तो राहुल आपके जैसा ही दिखता है और यदि आप पाठिका हैं तो राहुल आपके मोस्ट डिजायरेबल मैन की तरह दिखता है।

पढ़ते वक्त कहानी का कालक्रम जानना चूँकि जरूरी है इसलिए बता दूँ कि कहानी इसी सदी के दूसरे दशक के पहले दो सालों की है। वह वक्त, जब तकनीक इंसान से ज्यादा स्मार्ट होकर उसकी हथेलियों में आनी शुरू ही हुई थी। नई तकनीकों ने नई तरकीबों को जन्म देना शुरू ही किया था।

एक समस्या है। राहुल मिश्रा की इतनी कहानियाँ हैं कि समझ नहीं पा रहा कि कहाँ से शुरू करें! ऐसा करते हैं, कहानी पहली तुड़ाई से ही शुरू करते हैं। ग्रेजुएट होने के ठीक पहले वाली वैलेंटाइन डे। राहुल मिश्रा बड़े अरमान से मेरे घर आए।

***

''झाड़ी, एक कमरे का जुगाड़ कर दो भाई।'' राहुल ने मुझसे कहा।

''मोबाइल में देख लो पंडित। अब क्या वीसीडी के चक्कर में पड़े हो।'' मैंने उसकी बात का मतलब समझते हुए कहा।

''थ्योरी नहीं है, प्रैक्टिकल है झाड़ी। समझा करो ना यार!'' राहुल ने अपना सिर मेरी गर्दन पर रखते हुए कहा।

''सिरियसली! कौन बे। जसप्रीत तो नहीं?'' मैंने पूछा।

''भाभी बोलो झाड़ी। इज्जत दो।'' राहुल ने बनावटी गुस्से से कहा।

''भक साला! सच बोल?'' मैंने फिर पूछा; जिसके जवाब में उसने बस 'हाँ' में सिर हिला दिया।

मैंने आश्चर्य से कहा, ''जलील आदमी हो तुम पंडित! वो ट्वेल्थ में है; बच्ची है यार वो।''

''तो इसी को तो तुम्हारे उर्दू में 'कमसिन' कहते हैं बेटा।'' राहुल ने नाक के नीचे तर्जनी फेरते हुए कहा।

''अरे! अभी उसको समझ नहीं है, तुमको तो है। उसको बोलो कि

पढ़ाई पर कंसंट्रेट करे।'' मैंने राहुल को समझाने की कोशिश की।

''मकान देना है तो दो; ज्ञान मत दो! इतनी भी नासमझ नहीं है। तुम्हारे जैसे तीन को तीन बार घुमाकर चोटी बाँध लेगी। कल वैलेंटाइन डे पर काम बनेगा। उसका भाई, मतलब साला हमारा; समझ रहे हो ना? कितना गोरा है यार!'' कहते-कहते राहुल कुछ सोचने लगा।

''बहन पर आओ।'' मैंने राहुल को कल्पनालोक से बाहर निकाला।

''हाँ हाँ, कहने का मतलब है कि उसका भाई कल कार सर्विसिंग कराने के लिए राँची जा रहा है। मेरे पास कल का पूरा दिन है भाई। समझो ना!'' राहुल ने चिरौरी करते हुए कहा।

''वो कही है तुमसे ये बात!'' मैंने चौंकते हुए पूछा।

''नहीं बे, मुनादी हुआ था!'' राहुल ने चिढ़ते हुए कहा। लेकिन थोड़ी देर बाद ही बताया, ''मैसेज आया था कि मैथ्स के ट्यूशन के बहाने निकलेगी।''

''क्या! जा रे दुनिया!'' मुझे सदमा-सा लगा।

''हाँ, और ज्यादा चौंको मत। आँख का टिकली-बिंदी बाहर आ जाएगा। तुमको दुनिया से क्या मतलब? घर में बैठो। किताब खोलो और थर्मोडायनामिक्स से ही गरम रहो।'' राहुल ने एक साँस में कहा जिससे मुझे हँसी आ गई।

''हमसे क्या चाहते हो?'' मैंने सीधा मुद्दे की बात की।

''बताए तो। कमरे का जुगाड़ कर दो भाई। तुम चाहो तो कर दोगे।'' राहुल ने मेरे घुटनों पर अपना सिर रखकर नाटक करते हुए कहा।

''अपना-अपना नसीब है भाई! कुछ लोग जिंदगी भर दूसरों की सिस्टर सेट करते हैं और कुछ लोग जिंदगी भर दूसरों का बिस्तर सेट करते हैं।'' मैंने ऊबासी लेते हुए कहा।

''तुम्हारा बिस्तर हम सेट कर देंगे झाड़ी। जास्मिन, चमेली, लिली का फूल भी डाल देंगे भाई। फिर तुम भी खूब लोटियाना।'' राहुल की इस बात पर मुझे फिर हँसी आ गई। मगर मैंने हँसी दबा ली और कहा,

''विशाल से कह के देखो एकबार।''

''कौन? ढीला विशाल?'' राहुल ने सोचते हुए कहा।

''हाँ वही। अकेला है आजकल।'' मैंने सीडीएस की गाइड खोलते हुए कहा।

''मेरे कहने पर नहीं देगा यार।'' राहुल ने मुँह गिराकर उदास लफ्जों में कहा।

''क्यों ? उसकी भी गाय हाँके थे क्या ?'' मैंने शरारत से पूछा।

''नहीं झाड़ी। तुम हमेशा हमको गलत समझता है भाई। हम तो बस इतना कहे थे कि तुम्हारा मर्दानगी वाला नट भगवान टाइट नहीं किए थे। बस तभी से बात नहीं करता है।'' राहुल ने बहुत भोलेपन से कहा।

''भक साले ! ऐसी-तैसी कराते रहते हो; फिर मदद भी चाहिए। ठीक है। हम बात करते हैं।'' मैंने हँसी पर काबू करते हुए कहा।

''हाँ, ढीला रूम भी लड़कियों के जैसा चमका के रखता है। खूब चोर-पुलिस खेलेंगे। सही रहेगा।'' राहुल फिर कल्पनालोक में था।

* * *

दोस्तों से मिलने के बहानों में कम्बाइंड स्टडी सबसे कारगर बहाना होता है। हर जिम्मेदार पिता की तरह राहुल के पापा भी राहुल के घूमने-फिरने पर पाबंदी रखने की कोशिश करते थे। मगर राहुल के पास इसका शर्तिया इलाज था, कम्बाइंड स्टडी। राहुल इसी बहाने आज भी अपने घर से निकला था। घर को राहुल के लिए खाली छोड़कर विशाल भी अपने घर से बाहर ही था; लेकिन मुझे अपने घर में ही रहना था ताकि राहुल के घरवाले मुझे देखकर राहुल के बारे में न पूछ दें। मैं भी राहुल की कहानियों के इंतजार में ही था, तभी घर के पिछले दरवाजे पर दस्तक हुई-

''झाड़ी ! झाड़ी ! दरवाजा खोल।''

पिछले दरवाजे का रास्ता मेरे कमरे में ही खुलता था। चूँकि पीछे के दरवाजे का उपयोग आने-जाने के लिए नहीं होता था; इसलिए उधर से किसी का आना अचंभे की बात थी।

''कौन ?'' मैंने नंगे बदन ही जल्दबाजी में गोल गले के टी-शर्ट में गर्दन घुसाते हुए कहा।

''हम हैं झाड़ी। राहुल। जल्दी खोलो नहीं तो इज्जत का झंडा लहर जाएगा।'' दरवाजे के पीछे से राहुल की हड़बड़ाती हुई आवाज आई।

मैंने दरवाजा खोला। सामने राहुल खड़ा था।

''पंडित! क्या हुआ बेटा? कहाँ ढिमला गए?'' मैंने राहुल की हालत देखते हुए पूछा। राहुल ने अपने कपड़े धूल में रगड़कर फाड़े थे या राहुल का एक्सीडेंट हुआ था, कह पाना मुश्किल था। कपड़े जहाँ-तहाँ से फट गए थे और वहाँ पसीने से सनी धूल चिपकी थी। कहीं-कहीं घसीटे जाने से छिलने का निशान भी दिख रहा था।

''भसड़ हो गई भाई! उसका भाई आ गया था। साला हमारा। समझ रहे हो ना? बहुत मारा भाई! गिरा के दरी में से धूल निकाला है दोस्त।'' राहुल ने स्टील के जग से गटागट पानी पीते हुए कहा।

''मारा है? मारा कहाँ है; तुमको तो धोया है पंडित। निचोड़ा भी है। बस टाँगना बाकी रह गया। तसल्लीबख्श रिपेयर किया गया है तुम्हें।'' मुझे उसकी हालत समझते ही हँसी आ गई।

''हँस लो, हँस लो झाड़ी। लेकिन देखना, हँसा हुआ घर ही बसेगा एक दिन।'' राहुल ने पानी का जग रखते हुए कहा। मुझे भी एहसास हुआ कि इस स्थिति में मुझे हँसना नहीं चाहिए था। सो, मैंने बात संभालते हुए कहा-

''लो, टी-शर्ट पहनो पहले और बताओ हुआ क्या?''

''बताना क्या है झाड़ी। बाइक निकालो जल्दी।'' राहुल ने टी-शर्ट पहनते हुए कहा।

''बाइक! लेकिन क्यों?'' मैंने समझते हुए भी अनजान बनने का नाटक किया। मुझे यह अंदाजा हो गया था कि राहुल जसप्रीत के भाई हैप्पी से हिसाब करने जाना चाहता है। फिर भी अपनी बाइक से जाने के ख्याल से मैंने अंजान बनने का नाटक किया।

''बताते हैं। पहले बाइक तो निकालो।'' राहुल ने जिद करते हुए कहा।

''झाड़ी, अगले महीने फाइनल एक्जाम है भाई।'' मैंने आखिरी कोशिश की।

''हाँ, तो देंगे ना। दोनों भाई देंगे एक्जाम। फिलहाल बाइक निकाल। जल्दी कर। सब निपटाकर मुझे घर भी जाना है।'' राहुल ने कहा।

एक तो राहुल की जिद के आगे मेरी चलती नहीं थी; दूसरे मुझे यह भी डर था कि कहीं हैप्पी इसका पीछा करते हुए मेरे घर तक न पहुँच जाए।

घर तक आ जाने के बाद के महाभारत को संभाल पाना और मुश्किल होता; इसलिए मैंने जल्दी से बाइक निकालने में ही भलाई समझी। राहुल ने बाइक स्टार्ट की। मैं डरते हुए ही सही, पीछे बैठा। राहुल ने छोटी-छोटी गलियों में बाइक घुमाई। मुझे लगा कि वो शायद हैप्पी को ढूँढ़ रहा है। लड़ाई-झगड़े से मैं शुरू से ही सुरक्षित दूरी बनाकर रखता था; इसलिए मुझे आज ज्यादा ही डर लग रहा था।

''ज्यादा बवाल नहीं करना पंडित।'' मैंने पीछे बैठे-बैठे ही राहुल से ज्यादा झगड़ा न बढ़ाने के बाबत कहा।

''अरे घबराओ मत, बस छुआएँगे।'' कहते हुए राहुल ने गाड़ी एक अजनबी गली में घुसा ली। उस गली के आखिर में बिजली के खंभे के ठीक सामने एक पान की दुकान थी। राहुल ने बाइक को जैसे ही दूसरे गियर में डाला, मेरे दिल की धड़कनें आटा-चक्की की मशीन की तरह भागने लगीं। मुझे लगा कि जरूर हैप्पी का घर आ गया। मैं पीछे बैठे-बैठे आसपास के लोगों के मूड का अंदाजा लगा ही रहा था कि राहुल ने बाइक को धीमा किया। मुझे चश्मे के भीतर से फैलती अपनी आँखें और आँखों के भीतर से सिकुड़ते अपने दिमाग में न जाने ऐसा क्यों लगा कि राहुल सामने वाली इलेक्ट्रिक पोल में टक्कर मारने वाला है। मेरे सोचते-सोचते और देखते-देखते राहुल ने सीधे बिजली के खंभे में टक्कर दे मारी। बाइक लड़खड़ाई और हम दोनों बाइक समेत बाईं ओर गिरे। बाइक की स्पीड धीमी होने के कारण हमें ज्यादा चोट नहीं आई। पानवाले ने आकर बाइक हमारे ऊपर से हटाई और कहा-

''अरे, जब संभाल में नहीं आ रहा तो क्यों चलाते हैं बाबू?''

राहुल पैर बचाते हुए उठा। उसने मुझे भी खींचकर निकाला और फिर बदन से धूल झाड़ते हुए पान वाले से कहा-

''चचा, पान फेरो। ज्ञान न फेरो। मीठा। गुलकंद बढ़ा के।''

पानवाले ने हिकारत की नजर से राहुल को देखा और पान लगाने लगा। राहुल ने बाइक साइड कैरियर पर खड़ी की और हम दोनों आधी झुकी बाइक पर बैठ गए।

''ये क्या नाटक था पंडित। Is it a joke?'' मैंने अचरज और गुस्से से पूछा।

"जोक नहीं झाड़ी स्ट्रोक। मास्टर स्ट्रोक!'' राहुल ने पान लेते हुए कहा।

"मतलब ?'' मैंने जोर से पूछा।

"मतलब ये कि अब इस तरह लुटे-पिटे हालत में घर जाते तो पापा पप्पी दे देते। अब तो सबूत ले लिए ना कि एक्सीडेंट हुआ था। उसी में ये चोट लगी है। पापा अगर नहीं माने तो इस पनवाड़ी के पास लाएँगे उनको।'' राहुल ने कहा।

"जा रे अभागा! और हम सोचे कि तुम उसके भाई को डेंट देने के लिए....'' मैं अभी बात पूरी भी नहीं कर पाया कि राहुल ने हँसते हुए कहा–

"क्या बात करता है भाई! साला है हमारा। साले को कोई मारता है क्या। बहुत गोरा है झाड़ी। क्या बताएँ यार! मन खुश हो गया पिटा के।'' राहुल फिर पुरानी तान पर था।

"अच्छा एक बात बता। कुछ हुआ भी कि फोकट में पिटा के आए हो ?'' मैंने राहुल को छेड़ते हुए पूछा।

"कहाँ झाड़ी! अभी तो अक्षांश से शुरू कर देशांतर तक पहुँचे ही थे कि दरवाजे पर भूकंप आ गया।'' राहुल ने मुँह गिराकर कहा। राहुल का मुँह देखकर मुझे फिर हँसी आ गई। मैंने खुद को रोकते हुए फिर पूछा–

"अच्छा, जब स्पॉट पर धरा गए तो जसप्रीत क्या बोली ?''

"क्या बोलेगी? रोने लगी बेचारी। फिर कहा कि हम उसको मैथ्स ट्यूशन के बहाने बरगला कर यहाँ ले आए थे।'' राहुल ने सहानुभूति भरे अंदाज से कहा।

"भगवान बनाये रखे तुमको पंडित। माने लड़की हीटर पर बैठा के सिंकवा दी। लात-जूता करवा दी; फिर भी बेचारी वही है। जीते रहो भाई!'' मैंने तंज में कहा।

"जाने दो ना भाई। लड़की जात। बदनामी। सौ तरह की बात। हमारा क्या है!'' राहुल ने बाइक मेरे घर के सामने रोकते हुए कहा।

"तुम्हारा क्या है ? हम बताएँ तुम्हारा क्या है ? तुम्हारा फाइनल एक्जाम है साले!'' मैंने बाइक से उतरते हुए कहा।

"हाँ तो सिलेबस ही तो कम्प्लीट कर रहे हैं। अब देखो, फिजिक्स तो

बात ही फिजिकल रिलेशन की करता है। केमिस्ट्री दो लोगों के बीच ही होती है। मैथ्स आज पढ़ा ही रहे थे और बायोलोजी तो है ही गंदा सब्जेक्ट। समझ रहे हो ना?" राहुल का सिलेबस सुनकर मुझे फिर हँसी आ गई।

"चल, अब घर जा। अंकल-आंटी परेशान हो रहे होंगे।" मैंने राहुल से कहा।

"बाय। और हाँ, मुझे पता है कि उसके भाई को कैसे पता चला।" कहता हुआ राहुल अपने घर की ओर निकल गया।

***

3rd ईयर की परीक्षाएँ खत्म हो गई थीं। मध्यमवर्गीय परिवार के लड़कों के भविष्य की असुरक्षा उन्हें दो नावों की सवारी करवाती ही है। इसलिए सीडीएस की तैयारी करने के साथ-साथ मैंने एमबीए करने का भी तय किया था। राहुल ने बस मेरे साथ फॉर्म भर दिया था। चूँकि एमबीए की प्रवेश परीक्षा भी हो गई थी, इसलिए नींद कुछ लंबी ही खिंच जा रही थी। ऐसे ही एक दिन सुबह-सुबह मोबाइल में लगातार कॉल आने लगे। सुबह-सुबह एक कॉल से जागना सबसे दुखदाई होता है; और तब तो आपको जागना ही पड़ता है जब कॉल करने वाले को चैन ही न हो। पहले तो कॉल मैंने नींद की वजह से टाल दी लेकिन लगातार सातवीं कॉल ने मेरी नींद तोड़ दी। कॉल विशाल की थी। मेरा उठने का तो मन नहीं था; पर ऐसा इंसान जो घड़ी देखकर 59 सेकेंड बात करता हो और 1 मिनट 1 सेकेंड पर कॉल कट जाने से मातमपुर्सी करता हो, अगर सात-सात कॉल करे तो समझ में आता है कि जरूर कोई जरूरी बात होगी। आठवीं बार में मैंने फोन उठा लिया।

"हाँ विशाल, बोल भाई।" मैंने उनींदे ही कहा।

"मोहित, मोहित! मुझे बचा ले यार। सीन क्रियेट हो जाएगा।" विशाल ने रुआँसी आवाज में कहा।

"क्या हुआ?" उठकर बैठते हुए मैंने पूछा। मगर मेरी बात का जवाब देने के बजाय विशाल सुबकता रहा।

"बता भाई, हुआ क्या?" मैंने अबकी थोड़ा चिढ़कर पूछा।

विशाल ने कुछ नहीं कहा। दूसरी ओर से अब फूटकर रोने की आवाज आने लगी। लगातार रोने की आवाज से मैं झुंझला गया-

"भाई, मुझे लगता है कि जब तू रो लेगा; तब बोलेगा। ठीक है। पहले आँसू निकाल ले फिर आवाज निकाल लेना। मैं फोन रखता हूँ।" मैंने कहा।

"नहीं, सुन तो।" विशाल ने अब जल्दबाजी में कहा।

"हाँ बोल।" मैंने कहा।

"यार, राहुल घर के बाहर खड़ा है। तीन-चार लड़कों को लेकर। यार, मेरी गर्लफ्रेंड वेट कर रही है। दोहा हॉस्पिटालिटी का फॉर्म भरने जाना है। सीन हो जाएगा यार!" विशाल ने एक साँस में कहा।

अब मैं बात समझ पा रहा था। दरअसल, राहुल को यह लग रहा था कि जसप्रीत वाली बात उसके भाई को विशाल ने ही बताई है। उसके ऐसा लगने के पीछे वाजिब वजह भी थी। यह बात केवल तीन लोगों को पता थी। खुद राहुल को, मुझे और विशाल को। मैंने बताया नहीं होगा; इतना राहुल को भरोसा था। इसलिए उसे ऑड मैन आउट करने में ज्यादा तकलीफ नहीं हुई।

"कुछ नहीं करेगा वो। तू निकल जा।" मैंने बात समझते हुए कहा।

"नहीं यार, मैंने उसे कॉल किया था। सॉरी भी कहा। मगर वो कह रहा है कि आज इलाज कर के ही जाएगा।" विशाल ने रुआँसे ही कहा।

"इलाज। कैसा इलाज?" मैंने पूछा।

"पता नहीं यार। कह रहा है कि मेरा दोहा में नहीं, अमरोहा में एडमीशन कराएगा। हाश्मी युनिवर्सिटी। मुझे पढ़ाई की नहीं, दवाई की जरूरत है और पता नहीं क्या क्या?" विशाल ने फिर एक साँस में कहा।

"अच्छा वेट कर। मैं बात करता हूँ।" कहकर मैंने फोन काट दिया। मैंने फोन इसलिए भी काट दिया कि हाश्मी वाली बात पर मुझे हँसी आ गई थी। कुछ संयत होकर मैंने राहुल को कॉल किया। राहुल ने दो-तीन रिंग के बाद ही फोन उठा लिया।

"क्या कर रहे हो पंडित?" मैंने सीधा ही पूछा।

"फिल्म देख रहे हैं।" राहुल ने बहुत धीरे से कहा।

"कौन-सी फिल्म?" मैंने अब टेढ़ा पूछा।

"नाचे नागिन गली गली।" राहुल ने फौरन कहा।

“अच्छा। राय-चौक पर दिन में प्रोजेक्टर लगा है क्या?” मैंने सवालिया लहजे में कहा।

“तुमको कैसे पता?” राहुल ने आश्चर्य से पूछा। विशाल का घर दरअसल राय-चौक पर ही था।

“सुनो पंडित, तुम्हारी नागिन बहुत नाच चुकी। अब उसको ‘दोहा’ जाना है। उसको जाने दो।” मैंने कहा।

“उसका दोहन होगा पहले। हम मारेंगे झाड़ी उसको। उसकी वजह से हमारा और तुम्हारी भाभी का इंटीग्रेशन होते-होते डिफरेंशिएशन हो गया उस दिन।” राहुल ने गुस्से से कहा।

“जाने दो। जसप्रीत को मैथ्स फिर किसी दिन पढ़ा देना।” मैंने कहा।

“नहीं भाई, बाबूजी को पता चल गया ये वाला केस। हम रेलेंगे इसको।” राहुल ने तैश में कहा।

“अबे तुम जानते हो कि वो ढीला है। कुछ लचक गया तो मामला बिगड़ जाएगा; समझो बात।” मैंने कहा।

“अरे, ऐसे कैसे छोड़ दें इसको?” राहुल ने आवाज गिराकर कहा।

“ऐसे ही छोड़ दो। जितना चुम्मा दे दिए हो उतना ही बहुत है ढीला के लिए।” मैंने कहा।

“ठीक है झाड़ी लेकिन इसकी गर्लफ्रेंड को बता देते हैं कि इसका प्लस-माइनस दोनों फ्यूज है इसलिए एकबार हमसे कंपनीबाग में मिल ले खुशबू लगा के।” राहुल ने हँसते हुए कहा।

“अच्छा सुनो, 20 का रिजर्वेशन ले लो दिल्ली का।” मैंने कहा।

“रिजल्ट आ गया क्या?” राहुल ने आश्चर्य से पूछा।

“हाँ। AIPM में हुआ है दोनों का। 26 को दिल्ली में काउंसेलिंग है।” मैंने फिर कहा।

“शिट यार! भगवान से हमारी खुशी देखी ही नहीं जाती। इतना भी नहीं सोचे कि रिद्धी-सिद्धि और मेरी प्रसिद्धि का क्या होगा!” कहते हुए राहुल ने फोन रख दिया।

***

अखबार के भीतरी पन्नों के एक कोने में सेलेक्टेड कैंडीडेट्स के रोल नंबर की खबर आई थी। एक और खबर जो किसी अखबार में नहीं आई वो राहुल के घर में मीटिंग की थी। एजेंडा मोहल्ले वालों की चुगली ने तय कर दिया था। चूँकि कमरा दिलवाने में मेरा योगदान भी था इसलिए मुझे भी दोषी माना गया। वक्ता मेरे पापा और राहुल के पिताजी थे। हम दोनों बस आगे की ओर हाथ किए सिर झुकाए खड़े थे। शुरुआत मेरे पापा ने ही की।

''क्या चाहते हो बेटा, बाप के कमर में पुलिस रस्सी बाँध कर जेल ले जाए?''

''जेल। क्या बात किए भाई जी। मेरा तो बेल तक नहीं होगा। मुख्य आरोपी के बाप हैं हम तो!'' राहुल के पापा ने तमतमाते हुए कहा। मैंने जब बात की गंभीरता समझी तो राहुल को कुहनी से मारकर इशारा किया।

''सॉरी पापा।'' राहुल ने इशारा समझते हुए धीरे से कहा।

''अब तक की परवरिश का आपको जरा-सा भी ख्याल है तो आइंदा से मुझे पापा मत कहिएगा।'' राहुल के पापा ने गुस्से में कहा।

''ऐसा मत कहिए मिश्रा जी। बच्चे हैं। गलती हो गई। हमारे साहबजादे भी तो बराबर के शरीक हैं।'' पापा ने मेरे बारे में कहा।

''हम लिख के देने को तैयार हैं भाई जी। मोहित को कुछ पता भी नहीं होगा। यही बरगला के ले गया होगा उसे भी।'' राहुल के पापा ने मेरा पक्ष लेते हुए कहा।

''आगे का कुछ सोचा है या ऐसे ही मुहल्ले में नाम ऊँचा करना है।'' पापा ने अबकी मुझसे कहा।

''जी, MBA करना है।'' मैंने कहा।

''और वो ऐसे ही आवारागर्दी से होगा?'' पापा ने फिर सवाल दागा।

''नहीं। आज ही रिजल्ट आया है। एआईपीएम में सेलेक्शन हो गया है। दिल्ली।'' मैंने अखबार की कतरन पापा के आगे करते हुए कहा।

''और तुम राहुल। तुमने क्या सोचा है?'' पापा ने अखबार की कतरन देखते हुए राहुल से पूछा।

''उससे क्या पूछ रहे हैं भाई जी, हम बता देते हैं। ये चार्ल्स शोभराज बनेगा। सारा क्वॉलिटी है इसके अंदर। इसकी शिकायत करते-करते प्रिंसिपल रिटायर हो गया। इतनी बार शिकायत आई है कि इसके कॉलेज में इससे

ज्यादा अटेंडेंस तो मेरा होगा। हर रोज एक नई शिकायत! आज तक हमको अपना नंबर भी बताया है! पूछिये इससे।'' राहुल के पापा ने तमतमाते हुए कहा।

''64%'' राहुल ने धीरे से कहा।

''आपसे और उम्मीद भी नहीं थी बेटा। बहुत ला दिए हैं। अब आप भी कह दीजिए। अगली योजना क्या है?'' राहुल के पापा ने पूछा।

''मेरा भी रोल नंबर ठीक मोहित के नीचे है।'' राहुल ने सिर झुकाए हुए ही जवाब दिया।

राहुल के पापा ने अखबार का कतरन लगभग छीनते हुए चश्मा चढ़ाकर नीचे वाला रोल नंबर देखा। दो बार उसपर उँगलियाँ फिराने के बाद अविश्वास से पूछा-

''ये आपका ही रोल नंबर है ना?''

''जी।'' राहुल ने फिर धीरे से कहा।

''रोल नंबर मोहित के पीछे है। जरूर नकल लगाई होगी इसने।'' राहुल के पापा ने फुसफुसाते हुए कहा।

हम दोनों की पेशी खत्म हो चुकी थी। राहुल को इतनी आग झेलने की आदत थी क्योंकि इस आग को बुझाने का पानी 100 रुपये में मिल जाता था। स्टेशन की पीछे वाली गुड-शेड में राहुल ने रंगीन पानी के साथ अपने पापा को माफ कर दिया और मैंने उतनी ही देर में चखने पर हाथ साफ कर दिया।

हमारा दिल्ली का बिस्तर बँध चुका था।

साहिल की तरफ कश्ती ले चल

छोटे शहर के छोटे सपनों को विस्तार देते शहर का उनवान है, दिल्ली। खानाबदोशों के मजमे का मैदान है, दिल्ली। यहाँ खानाबदोश कई शक्लों में आते हैं। मजदूर, मजबूर, खरीददार, बीमार और सबसे ज्यादा, बेरोजगार। मजदूर बिहारी हुए जो दिहाड़ी की लालच में दिल्ली पहुँचे और इसके मुहानों पर बस्तियाँ आबाद करते गए। मजबूर सिख हुए जो बार-बार जितनी बर्बरता से उजड़े, बार-बार उतनी ही उर्वरता से उभरे। जिन्होंने इसे दिलवालों का शहर बनाया। इसका दिल बसाया। खरीददार पहाड़ी हुए जिन्होंने पहाड़ की मुश्किलों भरी जिंदगी से निजात तो चाही; मगर पहाड़ से दूर भी न जा सके। उन्होंने दिल्ली को अपना आशियाना बनाया और बीमार तो सारा देश ही रहा। देश के किसी भी कोने का जब कभी भी मर्ज बढ़ा तो एक ही नारा गूँजा– चलो दिल्ली। यकीन मानिए दिल्ली ने बाजऔकात तीमारदारी भी की।

लेकिन हम यहाँ एक अलग ही नस्ल के खानाबदोश थे जो यहीं ठौर जमाने की सोचकर आते हैं। ऐसे खानाबदोश, स्टूडेंट्स कहलाते हैं। स्टूडेंट्स, जो बेहतर जिंदगी की तलाश में अपना शहर छोड़ते तो हैं; मगर फिर कभी अपने शहर लौट ही नहीं पाते। यह शहर, दिल्ली खुद चाहे जितनी भी दफा पामाल हुई हो, खानाबदोशों का स्वागत खुले दिल से ही करती रही है।

कॉलेज में एड्मीशन लेने के बाद हमने कॉलेज से थोड़ी दूर लक्ष्मीनगर में किराये का कमरा तलाशना शुरू किया। हॉस्टल न लेकर किसी तीस गज के घर की बरसाती लेने का आइडिया भी राहुल का ही था। स्वतंत्रता, स्वच्छंदता और फिर हॉस्टल के लिए जमा किए जाने वाले एड्वांस को सुनकर मुझे राहुल का आइडिया अच्छा ही लगा था। लक्ष्मीनगर में जिस सीनियर के यहाँ हम ठहरे थे, उनसे आगे वाली गली में ही एक घर की बालकनी में 'Too late' का बोर्ड देखकर हम ठिठक गए। पहले तो हँसी आई; मगर फिर बाहर ही राशन की दुकान पर पूछने से बात पक्की हुई कि यह मकान खाली है और निहितार्थ to-let ही है। यह मकान मालिक के भाषा ज्ञान से हमारा पहला परिचय था।

घर के गेट पर 'राधा निवास' का मार्बल लगा हुआ था और उस मार्बल पर एक लड़का काफी देर से कोयले से रगड़कर कुछ लिख रहा था। मैंने उसकी तन्मयता देखकर उससे पूछा-

''क्या कर रहे हो?''

दिख नहीं रहा, 'राधा' को 'आधा' कर रहा हूँ। लड़के ने बड़े लगन से 'र' की पड़ी लकीर नीचे घुमाकर 'अ' बनाते हुए कहा।

''लेकिन क्यों!'' मैंने आश्चर्य से पूछा।

''चौधरी न बन भाई। आगे निकल। तू जानता नहीं इस शर्मे को।'' लड़के ने तल्लीनता से कोयला रगड़ते हुए कहा।

''तो बता दो भाई। हम भी जान लें।'' राहुल ने पूछा।

''कल हमारी बॉल चली गई थी इसके छत पर। हमने कहा कि अंकल आधी गेम रह गई है प्लीज बॉल दे दो। इसने क्या कही पता है?'' लड़के ने कहा।

''क्या?'' राहुल ने पूछा।

''कही बेटे, आधी गेम रह गई है तो आधी गेंद ले ले और कहकर गेंद आधी काटकर बाहर फेंक दी।'' लड़के ने राधा को आधा करते हुए ही जवाब दिया।

''ओह! तो इसलिए लिए 'राधा निवास' को 'आधा निवास' किया जा रहा है।'' हँसते हुए राहुल ने मेन गेट खोला।

''नहीं, इसलिए क्योंकि बूढ़ा सचमुच आधा ही है। अब जा रहे हो तो

खुद देख-समझ लेना।'' लड़के ने कहा।

हम तब तक सीढ़ियाँ चढ़ते हुए भीतर दाखिल हो चुके थे। मकान मालिक 'शर्मा जी' से बात करनी ही थी; सो राहुल ने आगे होकर कॉल बेल दबाई। दरवाजा खोलने वाला शख्स एक ठिगने कद का आदमी था जो हमें देखते ही भड़क गया।

''तुम एक साल में कितनी दफा माता के नाम पर चंदा माँगते हो! कौड़ी नहीं मिलेगी। दफा हो जाओ!'' कहकर वो आदमी हमारे चेहरे पर दरवाजा बंद करने ही वाला था कि राहुल ने कहा-

''अंकल, हम तो कमरा देखने आए थे।'' राहुल के इतना कहते ही उस आदमी ने दरवाजा खोल दिया। पहले तो हम दोनों को ऊपर से नीचे तक आँखों से ही स्कैन किया और फिर कहा-

''छड़े हो?''

''नहीं अंकल, खड़े हैं। मतलब, अभी थोड़ी ही देर से।'' राहुल ने तेजी से कहा। राहुल को दरअसल उनकी बात समझ नहीं आई।

''भले मानस! मेरा मतबल है कि पढ़न वास्ते आये हो?'' उन्होंने फिर कहा।

''जी। जी हाँ! अंकल।'' अबकी बार मैंने कहा।

''ये ले चाभी और ऊपर का कमरा देख ले। जब पसंद आए, जभी बात करते हैं।'' उन्होंने दराज से निकालकर चाभी देते हुए कहा। अब हमें लगा कि यह आदमी ही मकान-मालिक है।

''ठीक है अंकल।'' कहकर मैंने चाभी ली और ऊपर चले आए। ताला चूँकि काफी दिनों से बंद था इसलिए उसे खोलने में खासी मशक्कत करनी पड़ी। कमरा ठीक-ठाक ही था। मकान बनाते वक्त जो एक दफा सफेदी कराई गई होगी, आज भी उसी से काम चल रहा था। पुराने किरायेदार ने कुछ कैलेंडर के अलावा अंडे का छिलका छोड़ रखा था। कमरे के बाहर कमरे से ही लगा हुआ छोटा-सा बाथरूम और उससे लगा ही किचेन था। पापा होते तो यह देखकर कमरा हरगिज नहीं लेने देते। मगर यह झारखंड नहीं दिल्ली थी और उस दृष्टि से कमरा ठीक था। पसंद आने का एक और कारण था- खुली हुई छत का होना। हमने सुना था कि दिल्ली में धूप किस्मतवालों को मिलती है और इस लिहाज से हम खुशकिस्मत थे। हम कमरा देखकर नीचे

आए और मकान मालिक को बता दिया। अब मकान मालिक के पाले में गेंद थी। उन्होंने लगातार कई 'एस' सर्व किए-

''यह शरीफों का मुहल्ला है।''

''दस बजे गेट बंद हो जाती है।''

''रात में दोस्त नहीं ठहरेंगे।''

''बाइक रोड पर ही पार्क करनी होगी।''

''सीढ़ियों और छत की सफाई के चार सौ महीना अलग।''

''पेपर और केबल दलवीर से लेने होंगे।''

इतने नियम बताने पर भी जब हम राजी हो गए तो उन्होंने आगे की बात की-

''बेटे, किराया होगा सात हजार महीना, बिजली मिला के।''

''अंकल, किराया कुछ कम हो जाता तो...।'' मैंने एक कोशिश की।

''बेटे ऐसा है, मैं कोई सब्जी तो बेक नहीं रहा। जे कम कर के लगा दूँ। पूरे मोहल्ले में पता कर ले जे इससे कम में कहीं मिले तो वहीं ले ले।'' मकान मालिक ने बेरुखी से कहा। क्योंकि हम शहर में नए थे; जगह-जगह दौड़ना संभव नहीं था और ब्रोकर को दो महीने का चार्ज दे पाना तो और भी अखर रहा था। इसलिए हमारे पास इसी कमरे को 'हाँ' करने के अलावा कोई चारा भी नहीं था।

''नहीं अंकल, कमरा हमें पसंद है। हम कहीं और नहीं जाएँगे। बस यह बता दें कि सात हजार फाइनल है ना। कोई पानी वगैरह का बिल?'' मैंने ही पूछा।

''जो तेरी सरधा हो दे देना बेटा। वैसे हमने तो ना दी कभी सरकार को। बस ये ध्यान रखियो कि सामने की तार पै कपड़े मत फैला दियो। वरना निकल लेगा बद्रीनाथ को, बिना टिकट।'' उन्होंने छत के पास से गुजरे बिजली के तारों की तरफ इशारा करते हुए कहा।

''ओके अंकल। और यहाँ कोई मंथली टिफिन वाला मिल जाएगा क्या अंकल?'' मैंने पूछा।

''टिफिन के खाने मत खाया कर। बीमारी का घर है वो। खाना बनाने को एक लड़का रख ले। बर्तन भी कर देगा। मैं भेज दूँगा छोटू को। पिछले

किराएदार के यहाँ काम करता था। पैसे हजार रुपए से ज्यादा मत दियो।'' उन्होंने कहा।

''जी अंकल, जैसा आप ठीक समझें। तो हम कल से शिफ्ट हो जायें अंकल?'' मैंने पूछा।

''ना बेटे। कल का तो ऐसा है कि हम जा रहे हैं रेवाड़ी। साले की मैरिज शिरोमणी है।'' उन्होंने कहा।

''शिरोमणी!'' राहुल ठिठक गया।

''बिहार से आए हो क्या बेटे। मैरिज शिरोमणी नहीं जानते?'' उन्होंने ताव देते हुए कहा।

''ओ, मैरिज सेरेमनी!'' राहुल को समझते और बोलते हँसी भी आ गई।

''अंकल आप यह एडवांस, दो हजार रख लीजिए। बाकी हमलोग शिफ्ट होते ही दे देंगे।'' मैंने भी अपनी हँसी दबाते हुए बात का रुख घुमा दिया।

''हमलोग? बेटे, पूरी गाम लेके बसने तो नहीं आ रहा!'' उन्होंने आश्चर्य से कहा।

''नहीं अंकल। मेरा मतलब था– हम दोनों।'' मैंने हँसकर बात संभालते हुए कहा।

''हाँ तो ऐसा बोल ना। ठीक है बेटा। शनिवार से आजा। और हाँ, मुझे अपना आई.डी. या अड्रेस प्रूफ दे दियो। पुलिस वेरिफिकेशन के लिए। पता नहीं कौन किस घर को बटला हाउस बना दे। कहाँ के रहने वाले हो वैसे?'' उन्होंने पूछा।

''अंकल, टाटा।'' मैंने हथेलिया रगड़ते हुए कहा।

''ले, अब जाने की बात कब कही मैंने। टाटा कर रहा है। तू तो नाराज हो गया?'' उन्होंने बेशर्म हँसी हँसते हुए कहा।

''नहीं अंकल। टाटा दरअसल झारखंड का एक शहर है। हम वहीं के रहने वाले हैं।'' मैंने बताया।

''अब यह झारखंड ही कोण से देश में है। ज्यादा चालाकी न करियो बेटा। भतेरे किराएदारों को मोर बना चुका हूँ।'' उन्होंने अपना लहजा तीखा किया।

‘‘नहीं-नहीं अंकल। आप गलत समझ रहे हैं। आप अपना ई-मेल, अगर हो तो दे दीजिए। मैं पापा को कहकर एड्रेस-प्रूफ मेल करवा दूँगा।’’ राहुल ने बात संभाली।

‘‘हाँ। जे ठीक बात कही तैने। लिख ले। मेरी आई डी है- बड़ेबटुक@ जीमेल.कॉम।’’ उन्होंने अपनी ई-मेल आईडी बताई।

‘‘अंकल, क्या आप स्पेल आउट कर देंगे। नहीं तो मेल गलत चला जाएगा।’’ राहुल ने कहा। उसे दरअसल आईडी जरा उलझाऊ लगी।

‘‘क्या पढ़ाई की है तमने और क्या आगे पढ़ोगे?’’ उन्होंने चिढ़ कर कहा; लिखो-

‘‘badabuttock@gmail.com.’’

‘‘Buttock?’’ राहुल के मुँह से अचानक ही निकल गया। मैंने भी गाल खुजलाने के बहाने अपनी हँसी छुपाई।

‘‘बेटा, तम अपने बाप के पैसे खराब कर रहे हो और कुछ नहीं। ‘बटुक’ को बटक कहते हो। घर लौट जाओ। तम जैसे बच्चे दिल्ली में किलो के तेरह मिलते हैं।’’ उन्हें यह बात बुरी लग गई।

‘‘सॉरी अंकल। एड्रेसप्रूफ जल्द ही मिल जाएगा।’’ मैंने बहस पर विराम लगाते हुए कहा।

‘‘उससे पहले किराया मिल जाना चाहिए।’’ उन्होंने कड़ी आवाज में कहा।

‘‘श्योर अंकल। आपको दुबारा कहने की जरूरत नहीं पड़ेगी।’’ मैंने कहा।

‘‘और नॉन वेज बिलकुल नहीं बनाओगे। यह पंडितों का मकान है।’’ उन्होंने कहा।

‘‘फिर तो दूसरा कमरा देखना पड़ेगा।’’ राहुल ने अब ऊबते हुए कहा जिसको मैंने भी नहीं काटा। हम दोनों थोड़ी देर चुप रहे। बटुक शर्मा ने मामला हाथ से फिसलता देख कहा-

‘‘अच्छा ठीक है। अंडा बना लेना। मगर किसी से कहियो नहीं। कॉलोनी में बहुत इज्जत है तेरे अंकल की।’’

‘‘ठीक है अंकल।’’ मैंने फिर सिर हिलाया।

''और हाँ, कम्प्यूटर भले चला ले; इस्त्री चलाते देख लिया तो निकाल दूँगा। हैंग-हैंग मीटर भागे है इस्त्री से।'' बटुक शर्मा ने हेठी दिखाते हुए एक और शर्त बता दी।

''जी अंकल।''

''फाइनल एस। गेम एंड। 6-0, 6-0, 6-1.'' राहुल ने बुदबुदाते हुए कहा। जिसे सुनकर मैंने फिर अपनी हँसी दबाई। इससे पहले कि वो कोई और शर्त बता दें, मैं राहुल के साथ नीचे उतर गया। नीचे उतरते हुए सीढ़ियों में ही राहुल ने धीमे से कहा-

''बताओ तो! साला आदमी है कि बत्तख है। बटुक को बटक कहता है और हमारी पढ़ाई पर ही चढ़ाई कर दिया।''

''और तुम साले ई-मेल क्यों माँगे ? अब दो एड्रेस प्रूफ। तेज बनने चले थे।'' मैंने गुस्से से राहुल से कहा।

''झाड़ी, हमको क्या पता था कि बूढ़ा इतना टाइट है कि ईमेल भी रखा होगा। हमारे यहाँ तो इस उम्र में लोग कब्र का साइज देखने लगते हैं। हम तो ये सोच के ईमेल माँगे कि उसका देगा, जो पर्दे के पीछे से झाँक रही थी।'' राहुल ने कहा। राहुल ने दरअसल पर्दे के पीछे से देख रही मकान-मालिक की बेटी को भी देख लिया था।

''तुम्हारे जैसी ही औरतें होती हैं जो शादी की बात चलते ही नींबू चाटने लगती हैं। कहाँ तक सपना देख लेता है पंडित!'' मैंने राहुल को उलाहना देते हुए कहा।

''सपना! अरे सपना नहीं, अपना है वो। तुम उसकी आँखों में मेरे लिए प्यार नहीं देखे झाड़ी। सही सिग्नल आ रहा था। बस यहाँ की भाषा सीखनी पड़ेगी। हम-हम छोड़ के मैं-मैं मिमियाना पड़ेगा। फिर देखो, कुछ ही दिन में टावर पकड़ लेगा।'' राहुल ने मेरी पीठ पर धौल जमाते हुए कहा।

''परिधि, अपणे बाइस्कोप की आवाज कम कर छोरी।'' गेट से निकलते वक्त आती बटुक शर्मा की आवाज ने नाम का काम तो आसान कर ही दिया।

बीबी

कहते हैं नाम के दसवें अंश का असर व्यक्ति के चरित्र पर पड़ता है। गलत कहते हैं। यदि ऐसा होता तो बीरबल बल के लिए जाने जाते; बुद्धि के लिए नहीं। रणकौशल का प्रणेता रणछोड़ न कहा जाता। जॉन वुडकॉक पॉलिटिशियन न होकर प्लेबॉय होते। भगत सिंह नास्तिक न होकर आस्तिक होते। करनैल सिंह खेतों में ट्रैक्टर के बजाय फौज में ऑर्डर चलाते और मिर्जा असद्दुल्लाह खाँ 'गालिब' खुद शेर होते; शेर न पढ़ते।

और परिधि की कोई परिधि होती।

परिधि- बटुक शर्मा की इकलौती। इकलौती से यह संदेश न जाए कि कोई लखपति खानदान की नकचढ़ी। इकलौती इस वजह से कि परिधि के जन्म के बाद ईश्वर ने ही पूर्ण विराम लगा दिया। बच्चा और बच्चेदानी दोनों निकालनी पड़ी थी।

बटुक शर्मा मायूस हुए हों ऐसा नहीं लगता; क्योंकि उन दिनों उन्हें अक्सर यह कहते सुना जाता कि बेटे-बेटी में कोई फर्क नहीं है और एक दिन यही बेटी उनका नाम रोशन करेगी।

और बेटी ने पहली दफा नाम रोशन किया छठी क्लास में, जब उसने

कूड़ा फेंकने को लेकर हुए माँ और पड़ोसन के झगड़े में पड़ोसन के सिर पर गमला गिरा दिया। पड़ोसन फूटा सिर लिए अस्पताल भागी। झगड़ा तो निपट गया; मगर झमेला बढ़ गया। फौजदारी हुई। दारोगा जी ने आते ही पूछा, ''किसकी कारिस्तानी है?''

बटुक शर्मा तत्काल बचाव में आए। कहा, ''कारिस्तानी! हम कारिस्तानी क्यों होने लगे सर? हम हिन्दुस्तानी हैं। गाम-झटोला, तहसील- बयाना, जिला- भरतपुर।'' दारोगा ने पागलों से उलझने के बजाय एक हजार लेकर निकलने में ही अक्लमंदी समझी।

सातवीं क्लास में बीबी पर इंडियन आइडल बनने का जिन्न सवार हो गया। दूसरा कोई सपना ही नहीं। बटुक शर्मा भी बेटी में ही अपने सपनों का संसार देख रहे थे। वो तो सपना तब टूटा जब फर्जी प्रोडक्शन कंपनी वाला इक्यावन हजार लेकर 'इंडियन आइडल' की जगह 'इडियट आइडल' बनाकर चंपत हो गया। इक्यावन हजार और सपनों का संसार दोनों डूब गए।

बीबी आठवीं क्लास में थी जब शहादरा वाले फूफा जी घर आए। दिल्ली में भी धोती-कुर्ता पहनने वाले फूफा जी। छोटी बच्चियों को देखते ही फूफा जी की टाँगों में दर्द शुरू हो जाता था। माँ घर पर नहीं थी, जब फूफा जी आए। आदतन उनकी टाँगों में दर्द शुरू हो गया। बेटी को दबाने के लिए कहा। दर्द तलवों से शुरू होकर ऊपर की ओर बढ़ता ही गया। फूफा जी जरा ऊपर जरा ऊपर करते गए। ऐसे लोगों से निपटना माँ ने खूब सिखाया था। बड़े भोलेपन से उसने मालिश का सुझाव दिया। फूफा जी के रोएँ खड़े हो गए। उन्होंने प्रस्ताव तुरंत स्वीकार कर लिया। बीबी किचेन में गई। सरसों के तेल को खूब खौलाया और बहुत सँभलते-सँभलते सँड़सी से गर्म तेल की कटोरी पकड़े फूफा जी तक पहुँची। फूफा जी उन्माद में आँखें बंद किए पड़े थे। बीबी ने एक झटके से फूफा जी की जाँघ पर कटोरी छोड़ दी। फूफा जी बिलबिला उठे।

बीबी ने दोनों हाथ झटकते हुए धीरे से माफी माँगी, ''उप्स! सॉरी फूफा जी।''

नवीं क्लास में पहली दफा कोई लड़का पसंद आ गया। क्लासमेट था और बेटी को इमरान हाशमी की तरह लगता था। मगर उस खजूर ने इनके सामने ही इनकी सहेली को प्रपोज कर दिया।

बीबी घर आईं। दरवाजा बंद किया। अपना दुपट्टा निकाला और झूल जाने की सोची; मगर लाख कोशिशों के बावजूद फंदे की गाँठ ही न बना सकीं। हारकर दुपट्टा और आत्महत्या का विचार दोनों फेंक दिया।

हाँ, कमरे में लगे इमरान हाशमी के पोस्टर्स जरूर फाड़ दिए।

बटुक शर्मा भी खुश हुए, ''चलो, इस नामुराद से पीछा छूटा।''

दसवीं क्लास में इन्होंने कुछ नहीं किया, पढ़ाई के अलावा। इतना पढ़ गईं कि क्लास में ही नहीं; स्कूल में अव्वल आ गईं। बटुक शर्मा तीन महीने तक अखबार की कतरन लिए घूमते रहे।

ग्यारहवीं में थीं तब दादी के देहांत पर बटुक शर्मा सपरिवार गाँव गए। बीबी किसी दिन आम के बगीचे में आम खा रही थीं कि तभी मुखिया जी के बेटे की मोटर सायकिल बगीचे में रुक गई। इन्होंने आम खाते-खाते उसे आँख मार दी। आम और आँख का ऐसा कॉम्बीनेशन जमा कि बेचारा आज तक इनके दिए गलत नंबर पर रोज फोन ट्राई करता है।

छोटी-मोटी परेशानियों को वो अपने टूटे बालों के छल्ले में बाँध कर उड़ा रही थीं और जिंदगी अल्हड़पने के साथ बिता रही थीं कि तभी बारहवीं क्लास में आ गईं। असली तूफान तो बीबी की जिंदगी में बारहवीं में ही आया।

बीबी का इमरान हाशमी लौट आया था। बीबी की सहेली ने बहुत इधर-उधर की बातें कीं। समझाने, भड़काने, बरगलाने की बहुत कोशिश की; मगर तब न सहेली ने बीबी की बात सुनी थी; न अब बीबी को सहेली की बात सुननी थी। बीबी का कमरा एक बार फिर इमरान हाशमी के पोस्टरों से गुलजार हो गया।

तूफान तब आया जब बारहवीं की परीक्षा से करीब तीन-चार महीने पहले बीबी और वो लड़का इंटर स्कूल कॉम्पटीशन के लिए आगरा गए। बीबी को डिबेट में भाग लेना था और लड़के को ड्रामा में। स्कूल-बस तक तो सब ठीक था। मगर आगरा पहुँचते ही स्कूल ने लड़के और लड़कियों को हॉस्टल तो एक ही दिया पर अलग-अलग फ्लोर पर ठहरा दिया। बीबी की उम्मीदों पर स्याही गिर गई। कहाँ तो वह दिल्ली से ही तैयारी कर के निकली थीं; क्योंकि उनका इमरान 'डम्बो' था और सारे प्रीकॉशन भी बीबी को ही लेने थे और कहाँ यहाँ फ्लोर ही अलग कर दिया। खैर! बीबी ने मन मसोस

कर डिबेट पर ध्यान लगाया और अव्वल आईं। कॉम्पटीशन खत्म होने के बाद उन्होंने सबसे पहले अपने इमरान को फोन किया–

"हेलो बेबी।" लड़के ने कहा।

"इतनी देर कर दी फोन उठाने में।" बीबी ने नाराजगी का नाटक किया।

"चैट कर तो रहा था।" लड़के ने कहा।

"फिर बात नहीं करेगा?" बीबी गुस्से में थीं।

"सॉरी बेबी। वो लैपटॉप बंद करने में देर हो गई।" लड़के ने कहा।

"तो फोन उठाकर भी लैपटॉप बंद कर सकता था।" बीबी ने कहा।

"हाँ, मगर तबतक फोन का बिल फिजूल उठता ना।" लड़के का जवाब था।

"मतलब पैसा मुझसे ज्यादा इम्पॉर्टेन्ट है?" बीबी का जवाब नहीं था।

"सॉरी बेबी।" लड़के ने एकबार फिर हथियार डाल दिया।

"एक बार और बोल।" बीबी ने जिद की।

"बेबी।" लड़के ने कहा।

"नहीं। उसके पहले वाला।" बीबी कुछ और सुनना चाहती थी।

"सॉरी।" लड़के ने वो कह दिया।

"हाँ। अब ठीक। अच्छा ये बता, आज दिन में फोन क्यों नहीं किया?"

"किया तो था। तेरा फोन नॉट रिचेबल बता रहा था।" लड़के ने फौरन कहा।

"झूठ। मैं दिन भर फोन अपने पास लेकर बैठी थी।" बीबी ने शोखी से कहा।

"जभी तो नॉट रिचेबल था। तेरे पास तो हमेशा मैं रहता हूँ। फोन तो अनरिचेबल होगा ही।" लड़के ने चौका मारा।

"वेरी फनी!" बीबी ने फिर शोखी भरे गुस्से से कहा।

"सॉरी बेबी।" लड़का अपना काम पूरी तन्मयता से कर रहा था।

"अच्छा पता है! मुझे डिबेट में ना, फर्स्ट पोजिशन मिली है।" बीबी ने चहकते हुए कहा।

''ग्रेट!'' लड़के ने खुशी जाहिर करते हुए कहा।

''क्या ग्रेट? मुझे लगा तुझे पता होगा।'' बीबी ने फिर उदास आवाज में कहा।

''सॉरी बेबी!'' लड़के ने वही पहाड़ा दुहराया।

''मेरा बच्चा। खाना खा लिया?'' बीबी का प्यार अब वात्सल्य रूप ले रहा था।

''हाँ, खा लिया।'' लड़का भी पूरी तरह काल्पनिक गोद में था।

''क्या खाया मेरा बेबी?'' बीबी रूपी माँ ने पूछा।

''इडली-सांभर।'' बच्चे ने जवाब दिया।

''अच्छा!'' बीबी ने कहा।

''हाँ, यहाँ के कैंटीन में क्या डेलिसस इडली बनाते हैं!'' लड़के ने कहा।

''अच्छा, मैं जो इतनी दफा तेरे लिए ब्रंच लाई उसकी तो कभी तारीफ नहीं की तूने।'' वात्सल्य भाव हवा हो चुका था। बीबी अब रौद्र रूप में थीं।

''सॉरी बेबी!'' लड़के ने ब्रह्मास्त्र फेंक दिया था।

''Its ok! You know! I am missing you terribly!'' बीबी की तनी हुए भंवे अब विश्राम की मुद्रा में आ गईं।

''Me too baby.'' लड़के ने सावधान की मुद्रा वाला जवाब दिया।

''Don't worry. I am going to give you a little surprise!'' बीबी अब लाइन पर आईं।

''And what is that!'' लड़के ने पूछा।

''Keep missing and guessing.'' बीबी ने कहा और मोबाइल डिस्कनैक्ट कर दिया।

***

बीबी के और लड़के के कमरे के बीच एक फ्लोर और 13 कमरे थे। रात में लड़के और लड़कियों के खाने का समय अलग-अलग था। लड़कों के खाने के बाद लड़कियों के खाने का नियम ट्रूप सुपरवाइजर ने बनाया था।

बीबी जब रात के खाने के समय मेस में घुसीं तो उन्होंने अपने इमरान को खाकर अपने कमरे की तरफ जाते हुए देखा। मेस में महज चेहरा दिखाकर बीबी जो गायब हुईं तो सीधे लड़के के कमरे में ही दिखीं। दरवाजा खोलते ही लड़के की सिट्टी गुम हो गई। बीबी ने उसे बेड पर धकेला और कमरे का दरवाजा बंद कर दिया। लड़के ने अपने बाप जन्म में भी ऐसी सरप्राइज की कल्पना नहीं की थी। अब उसकी पिट्टी भी गुम हो गई। लड़का टी-शर्ट पहनने को उठा तो बीबी ने उसे फिर बिस्तर पर धकेल दिया। लड़का बिस्तर पर कुहनियों के बल लेटा रहा। उसके चेहरे के हवाई जहाज उड़ गए थे।

बीबी कदम-कदम चलते हुए शरारत भरी नजरों से देखते हुए बिस्तर तक आ गईं। उनके हाथ में हाथ भर की एक छड़ी भी थी। बीबी टीचर-टीचर खेलने के मूड में थीं।

"So, You didn't complete your homework, you naughty boy!" बीबी ने लरजती आवाज में कहा।

"Listen baby." लड़के ने बीच में अपनी बात रखनी चाही।

"Call me teacher, you naughty boy." बीबी ने फिर से फँतासी भरी आवाज में लड़के को कंधे पर छड़ी से मारते हुए कहा।

"उई माँ!" लड़का सिसकार उठा।

'उई माँ!' मेरा इमरान ऐसे क्यों बोल रहा है। बीबी ने सोचा। बीबी की फँतासी एक पल के लिए गायब हो गई; लेकिन फिर उन्हें लगा कि छड़ी जरा ज्यादा ही जोर से चल गई। बीबी छड़ी छोड़कर घड़ी देखने लगीं। उन्होंने महसूस किया कि फँतासी में समय निकला जा रहा है। इसलिए वो तेजी से बिस्तर पर कूद आईं। बीबी ने जैसे ही अपनी तर्जनी से लड़के के कान के पीछे सहलाया, लड़का अपने होंठ काटने लगा। बीबी का सारा उन्माद काफूर होने लगा। पहले तो बीबी को लगा लड़का फर्स्ट हैंड है और शरमा रहा है; इसलिए जब लड़के ने हिचक दिखाई तो बीबी ने ही पहल की; मगर थोड़ी ही देर में बीबी ने देखा की लड़का वैसी सिसकारियाँ ले रहा है; जैसी बीबी को लेनी चाहिए तो बीबी परे हट गईं।

लड़के ने बीबी को हटता देख नजरों से बुलावा देते हुए कहा- "-Come on Tiger."

बीबी हैरान रह गईं। अपने बिखरे बालों को समेटा; जूड़ा बनाया और

बाथरूम की तरफ बढ़ गईं। बाथरूम जाकर अपने चेहरे को देखा। उन्हें थोड़ी देर पहले का उन्माद याद आया। याद करते ही उन्हें उबकाई-सी आ गई। अब उनकी समझ में आया उनके इमरान के पुल्लिंग में थोड़ा-सा स्त्रिलिंग भी है। वह थोड़ी दूर गईं। जाकर माउथ-वाश किया और फिर लौटीं। लड़का चादर में सिमटा हुआ था।

''बाथरूम जाकर फ्रेश हो ले।'' बीबी ने कहा।

लड़के ने अनमनी-सी आवाज निकाली तो बीबी ने चिल्लाकर कहा, ''जल्दी कर।'' चादरों में लिपटा ही जब लड़का बाथरूम की तरफ बढ़ा तो बीबी ने उसकी चाल को निहारा। अब उन्हें एहसास हो गया कि लड़के के गिलास भर स्त्रीलिंग में चम्मच भर पुल्लिंग है। बीबी भावनात्मक रूप से टूटीं पर अभी लड़के को तोड़ना बाकी था। बीबी छड़ी लेकर फिर बाथरूम में घुस गईं। लड़के ने आगामी रोमांच के लिए बाथरूम खुला रख छोड़ा था। बाथरूम में ही बीबी ने उसे हड़काते हुए पूछा,

''Are you Gay ?''

''Mmm! Well... Not exactly! But you can say. Yes. इमरान हाशमी मुझे भी पसंद है।'' लड़के ने अब पूरी नजाकत से कहा।

''Fine. तो भैंचो तू मेरे साथ क्या कर रहा था?'' बीबी का मिजाज बबूल और जुबान नीम हुई जा रही थी।

''You know na ! ममा ये सब लाइक नहीं करतीं। So old fashioned. उन्होंने कहा कि लड़कियों से दोस्ती कर।'' लड़के ने अपना दुखड़ा सुनाया।

''तेरी माँ की...'' बीबी ने अपनी हद पार नहीं की। बस बीच की उँगली दिखा दी।

लड़का चादर में सिमटा बैठा रहा। जाते-जाते भी बीबी फिर लौटीं और उसे बिना गिने छड़ी रसीद दी। लड़का आउच-आउच करता रहा।

बीबी उसी रास्ते वापस हॉस्टल आ गईं। दुर्घटना चूँकि परीक्षा से ठीक पहले हुई थी। इसलिए बीबी का बालमन इसे बर्दाश्त नहीं कर पाया। उन्होंने बारहवीं की परीक्षा छोड़ दी।

अगले साल प्राइवेट से परीक्षा दी और जैसा कि होता है, अच्छे नंबर नहीं आए। बीबी अपने दोस्तों के सीनियर हो जाने के कारण कई दिनों तक

अवसाद में रहीं। एक साल घर से न निकलने के बाद कुछ सामान्य हुईं। अब वक्त भरने के लिए होम साइंस से ग्रैजुएशन करती हैं और जख्म भरने के लिए सिल्विया प्लाथ की कविताएँ पढ़ती हैं। बस में दूसरी औरतों तक के लिए लेडीज सीट खाली और ऑटो वालों के शीशे सीधी कराती रहती हैं। मर्द जैसी किसी भी जात पर भरोसा नहीं करतीं।

लेकिन ऐसा तभी तक संभव है ना, जब तक बीबी, साहब से न मिली हों। वैसे भी कहते हैं कि प्रेम, पानी और प्रयास की अपनी ही जिद होती है और अपना ही रास्ता।

उस दिन भी जब हम कमरा लेने बटुक शर्मा के घर पहुँचे थे तो दूसरे कमरे के झीने पर्दे के पीछे से परिधि राहुल मिश्रा को बड़े गौर से सुन रही थी। राहुल मिश्रा ने भी उसे सुनते हुए देखा था। फ्रिक्वेन्सी मिल रही थी और राहुल मिश्रा के शब्दों में, ''फ्रिक्वेन्सी मिल जाए तो टावर पकड़ ही लेता है।''

पिया ऐसो जिया में समाय गयो रे

आज हम बटुक शर्मा के छत पर बने एक कमरे, जिसे दिल्ली की भाषा में बरसाती कहते हैं, में शिफ्ट हो रहे थे। सामान तो कुछ खास नहीं था; बस किताबों के बक्से चढ़ाने में हम थक गए थे। आखिरी बैग रखते ही राहुल ने किचेन में जाकर नल की टोंटी में खाली कोल्ड-ड्रिंक की हरी बोतल का मुँह घुसेड़ दिया। देर तक सूँ-सूँ की आवाज के अलावा कुछ बाहर नहीं आया। प्यास तेज थी। हमने सोचा कि बटुक शर्मा के घर से दो बोतल पानी माँग लाएँ। यही सोचकर हमने खाली कोल्ड ड्रिंक की हरी बोतल उठाई और बेधड़क बटुक शर्मा का दरवाजा खटखटा दिया। दरवाजा परिधि ने ही खोला। मैंने देखा कि चश्मा लगाए हुए परिधि के हाथ में गालिब की शायरी की किताब थी। राहुल मिश्रा ने ही दरवाजा खटखटाया था; इसलिए वो आगे खड़े थे और मैं उनके पीछे था। उस रोज पर्दे के पीछे से राहुल मिश्रा ने जिस परिधि का केवल अक्स देखा था, आज उसके नैन-नक्श देख रहे थे। बाल इतने सीधे मानो इस्त्री किए हों। कपड़े इतने बरहम मानो घर में इस्त्री ही न हो। चेहरा इतना गोल मानो नाक के केंद्र से त्रिज्या ली गई हो। चेहरे पर भाव इतने तिरछे मानो किसी बेशऊर ने कूची पकड़ी हो। होंठ इतने भरे हुए कि थिरकन तक महसूस हो जाए और आँखें इतनी खाली कि सागर समा जाए।

राहुल मिश्रा शायद इसी तरह के रूप-लावण्य के और विशेषण सोचते

रहते अगर मैंने उन्हें चिकोटी न काटी होती। चिकोटी से राहुल मिश्रा की तंद्रा टूटी। ध्यान तो संभला; मगर उनकी जबान फिसल गई। परिधि की आँखों में देखते हुए ही उन्होंने नीमहोश आवाज में कहा, ''आँख में पानी ही नहीं है।''

''What ?'' परिधि ऐसी किसी भी स्थिति के लिए तैयार नहीं थी। उसने अचंभे और गुस्से से कहा।

''मेरा मतलब है, नल में पानी नहीं है। कल से सुबह ही भर लेंगे। आज अगर एक बोतल पानी मिल जाता तो...'' राहुल मिश्रा ने जैसे-तैसे बात संभाली। परिधि ने बोतल हाथ से ली; दबी-पिचकी उस हरे रंग के बोतल को हिकारत से देखा और भीतर चली गई। मैंने राहुल को आँखें दिखाई तो उसने कहा, ''आँख में पानी वाली बात गलती से निकल गई थी।'' अभी हम इस पर बात कर ही रहे थे कि परिधि फ्रिज से नई बोतल में पानी लिए आई। राहुल को पानी की बोतल देते हुए उसने कहा,

''यहाँ पानी का TDS ज्यादा है। पानी गर्म कर पीना होता है।''

''थैंक यू। वैसे हम तो दूध भी गर्म ही पीते है।'' राहुल मिश्रा की जबान फिर फिसल गई। जिसके दोअर्थी होने के आभास होते ही मैंने उन्हें फिर चिकोटी काटी।

परिधि के चेहरे पर एक मुस्कान थिरक गई जिसे छुपाते हुए उसने हमारे मुँह पर दरवाजा बंद कर दिया। हम भी अपने कमरे की ओर चल दिए।

''आज ठीक से देखे झाड़ी। चैसिस ठीक है। साइड पैनल भी बढ़िया है।'' राहुल ने सीढ़ियाँ चढ़ते हुए कहा।

''भोसड़ी के, लड़की देख रहे थे कि गैरेज का मैटेरियल।'' मैंने चिढ़कर कहा।

''गैरेज का नहीं, ये तो मैरेज का मैटीरियल है झाड़ी।'' राहुल ने कुछ सोचते हुए कहा।

''जहीन लड़की है। उसकी तरफ देखना भी मत।'' मैंने राहुल को आगाह किया।

''तुम्हें कैसे पता जहीन है। मुझे तो लगा कि महीन है।'' राहुल ने बालों में हाथ फेरते हुए पूछा।

''मिर्जा गालिब पढ़ रही थी।'' मैंने कहा।

''तो तुम साले किताब देख रहे थे!'' राहुल ने आश्चर्य से कहा।

"हाँ, शबाब देखने के लिए तो तुम थे ना।" मैंने कहा।

"हाँ वो तो है। अच्छा झाड़ी, ये फूफा जी लिखते क्या थे। जरा विधिवत बताओ?" राहुल पानी पीते हुए गालिब के बारे में पूछा।

"रहने दो। जहीन और जाहिल में कुछ अंतर तो रहे।" मैंने पानी की बोतल मुँह से लगाते हुए कहा।

"अरे बता दो! इम्प्रेस करने के काम आएगा।" राहुल ने पानी खत्म करते हुए कहा।

"गो हाथ को जुम्बिश नहीं आँखो में तो दम है

रहने दो अभी सागर-ओ-मीना मेरे आगे।" मैंने एक साँस में कहा।

"रहने दो झाड़ी। मेरे काम के नहीं हैं फूफा जी। हम समझ गए। गंदे आदमी थे। हाथ में जुम्बिश खोज रहे हैं। अब बुढ़ारी में हाथ से क्या करना है? हमको परिधि चाहिए। मीना मेरे किस काम की और वैसे भी हम स्ट्रेट हैं; सागर में इंटरेस्ट लेते तो विशाल ढीला ही क्या बुरा था। वो तो बेचारा खुशबू भी लगाता था।" राहुल ने शायरी की ऐसी बखिया उधेड़ी कि मैं भी हँसे बिना नहीं रह सका।

परिधि के हर कोण की व्याख्या आज हो ही जाती कि दरवाजे पर दस्तक हुई। सामने होने की वजह से दरवाजा राहुल ने ही खोला। बाहर परिधि ही खड़ी थी। उसके साथ एक सत्रह-सोलह साल का लड़का भी था। परिधि को धूप की रौशनी में देखकर राहुल के सोलर बल्ब जल गए। अभी वह आँखों से मूरत तराश ही रहा था कि परिधि ने टोक दिया-

"ये छोटू है। पापा से तुमने शायद खाने-वाने की बात की थी। यही है। पापा ने कहा है जो भी बात करनी हो क्लियर कर लेना। बाद में कलेश नहीं चाहिए।" परिधि ने चेतावनी भरे लफ्जों में कहा और जवाब का इंतजार करने लगी। राहुल परिधि के होंठों की थिरकन, उसके हाथों के इशारे और उसकी आँखों की वाचालता में ही खोया हुआ था। जब मैंने राहुल को कोई जवाब देते नहीं देखा तो मैंने ही कहा-

"नहीं जी। बात क्या करनी है। पैसे हमलोग आठ सौ रुपये दे पाएँगे।"

"हमलोग! तुम दोनों के अलावा और भी लोग रहेंगे क्या यहाँ। पापा को पता है ये बात?" परिधि ने एक साथ कई सवाल किए।

''अरे नहीं। मेरे कहने का मतलब है हमदोनों के खाने का आठ सौ रुपया दे पाएँगे। मगर पहले ये खाना बना कर दिखाए तो। क्यों राहुल?'' मैंने राहुल को बेसुध देखकर ऊँची आवाज में कहा।

''आं। हाँ-हाँ। बिलकुल। चल गाजर का हलवा बना के दिखा।'' राहुल ने तंद्रा तोड़कर जिस मालिकाना अंदाज में कहा, परिधि की मुस्कुराहट छलक गई। छोटू किचेन की ओर बढ़ गया। परिधि भी नीचे जाने के लिए मुड़ गई। छोटू कुछ देर तक तो किचेन में डिब्बों को सहेजता रहा। थोड़ी साफ-सफाई भी की; मगर जब उसे ढूँढ़ने पर भी गाजर नहीं मिले तो वह किचेन से परेशान-परेशान निकला और बोला-

''भैया गाजर कहाँ है?''

''गाजर तो बेटा, मुखिया जी के खेत में है। आने में समय लगेगा तब तक ऐसा कर, टिंडा बना ले।'' राहुल ने मेरे हाथ पर हाथ मारते हुए कहा।

***

छोटू चूँकि पहले भी यहाँ काम कर चुका था इसलिए उसे काम करने और समझने में कोई परेशानी नहीं हुई। हमारे यहाँ काम करने में उसे वैसे भी दिक्कत नहीं थी क्योंकि अक्सर हम या तो बाहर ही खा लेते थे या फिर मैगी से ही काम चला लेते थे। उस दिन भी छोटू किचेन में ही था जब हमने परिधि की आवाज सुनी।

''छोटू, बैडमिंटन खेलेगा?'' परिधि ने छत पर चढ़ते हुए कहा।

''नहीं। मुझे बर्तन जल्दी कर राशन लाने जाना है।'' छोटू ने सिर उठाए बगैर ही कहा। परिधि की आवाज जब कमरे तक आई तो आदत से मजबूर राहुल हाथों से बाल सहेजता छत पर निकल आया।

''दो ही तो लोग हैं। कित्ता खाते हैं कि घंटे भर से बर्तन ही किए जा रहा है?'' परिधि ने रैकेट से शटल को बार-बार उछालते हुए कहा। जब कई बार तक शटल संभालने के बाद आखिरकार शटल जमीन पर गिरी तो वह राहुल के पास ही गिरी। अब यह अनजाने में हुआ या जानबूझकर यह तो बस परिधि जानती थी। राहुल ने एक परिचित मुस्कुराहट के साथ शटल परिधि की ओर उछाल दिया। परिधि ने सपाट चेहरे से शटल ली और छोटू से कहा-

''छोटू, भजन सुनेगा?''

''सुना दो।'' छोटू ने अनमने से कहा। कहना तो राहुल भी यही चाहता था; मगर सवाल उससे नहीं था इसलिए वह चुप ही रहा। परिधि ने गुनगुनाना शुरू किया-

''राधे-राधे कहो चले आएँगे बिहारी

राधे-राधे कहो चले आएँगे बिहारी।''

पहली लाइन दुहराते-दुहराते परिधि को खुद हँसी आ गई। वह हँसते हुए ही बोली-

''पापा ने भी घर का नाम 'राधा निवास' रख दिया। सारे बिहारी ही चले आते हैं।'' राहुल ने अब उसकी बात का मतलब समझा; लेकिन बात उससे सीधी नहीं हो रही थी इसलिए उसने कुछ नहीं कहा।

परिधि की छेड़ जारी रही।

''छोटू, ये पिछले वाले प्राइम मिनिस्टर भी बिहारी थे क्या? अटल बिहारी बाजपेयी। लेकिन वो तो बहुत समझदार थे।'' वो तो 'मैं' को 'हम' नहीं बोलते थे। परिधि ने अबकी बार राहुल को तिरछी नजरों से देखते हुए कहा। राहुल ने भी देखते हुए देख लिया; मगर चुप ही रहा। परिधि अब बैडमिंटन छोड़कर छत के बाउंड्री पर लग गमले में से पत्तियाँ तोड़कर अपनी तर्जनी पर लपेट रही थी।

''छोटू, ये झारखंड भी तो बिहार से ही बना है ना। सोच जरा! वो कैसे होते होंगे जिन्हें बिहारियों ने भी बाहर कर दिया।'' परिधि ने एक अर्थपूर्ण मुस्कान दबाते हुए कहा।

''गिरगिट।'' राहुल ने बीच में अचानक ही कहा।

परिधि हालाँकि छेड़ उसे ही रही थी; मगर राहुल का यूँ बोलना उसे अच्छा नहीं लगा। उसने राहुल की बात खत्म होते ही फिर छेड़ते हुए कहा-

''हमलोगों ने तुमसे नहीं पूछा। वैसे बता रहे हो तो हमलोग मान लेते हैं। गिरगिट जैसे रंग बदलने वाले।''

उसके इतना कहते ही राहुल ने इधर-उधर देखा और छत पर पड़ी एक छड़ीनुमा लकड़ी उठा ली। राहुल लकड़ी उठाए हुए परिधि की ओर बढ़ा। परिधि उसके चेहरे के भाव को पढ़कर डर गई थी। आखिरकार उसने कुछ ज्यादा कह भी दिया था। लेकिन वह वहाँ से हिल भी नहीं सकती थी। आखिर वो क्यों वहाँ से हटे! एक किरायेदार की हिम्मत भी उसे देखनी थी।

इसलिए असहज होने के बावजूद वो वहीं खड़ी रही। राहुल उसके ठीक पास पहुँच गया। अपने होंठों पर तर्जनी रखकर परिधि को चुप रहने का इशारा किया और उसकी गर्दन के बाईं ओर छड़ी लगा दी। दरअसल, परिधि की गर्दन के ठीक पीछे गमले में एक गिरगिट बैठा हुआ था जो पीछे होने के कारण परिधि को नहीं दिख रहा था। राहुल ने परिधि की गर्दन के ठीक पीछे लकड़ी लगाकर गिरगिट को बाईं ओर फेंक दिया। गिरगिट गिरा और फिर तेजी से छत की दीवार के सहारे भाग गया। परिधि ने जब देखा तो वो भी मम्मी-मम्मी करती चार कदम पीछे हो गई। राहुल ने लकड़ी फेंक दी। छत पर ही लगे नल से हाथ धोए और कमरे की तरफ बढ़ा। परिधि उसके पीछे ही आगे बढ़ी और कहा-

''सुनो! Thank you!'' परिधि की आवाज आई। जिसका जवाब राहुल ने बस मुस्कुरा कर दिया और कमरे में घुसने लगा।

''And I am sorry also.'' परिधि ने फिर कहा।

''Its ok.'' कहकर राहुल कमरे में आ गया। परिधि भी आगे बढ़कर कमरे के दरवाजे तक आ गई और दरवाजे का चौखट पकड़कर कहा-

''तुम्हारे पास सैमसंग का चार्जर होगा क्या?'' परिधि ने बात बढ़ाई।

''नहीं। मेरे पास तो पावर बैंक है। दूँ क्या?'' राहुल मिश्रा ने उसकी आँखों में देखते हुए कहा। परिधि ने एक पल राहुल को देखा और कहा-

''Stupid Moron.'' कहकर परिधि झल्लाकर तेज कदमों से उतर गई। राहुल चकित होकर उसे जाता देखता रहा।

''चली गई यार। गाली भी दे दी। हम कुछ गलत कह दिए थे क्या झाड़ी?'' राहुल ने बुझे मन से मुझसे पूछा।

''नहीं पंडित। जीते रहो। ठीक ही तो कहे; तुम्हारे पास पावर बैंक ही तो है।'' कहते हुए मैं हँसते-हँसते बिस्तर से उलट गया।

****

अगली सुबह जैसे ही राहुल मिश्रा आँखें मींचते छत पर निकले तो देखा कि उनके जीवन की किरण 'Respect Girls' की टी-शर्ट पहने सूरज की किरणों के साथ अठखेलियाँ कर रही हैं।

राहुल मिश्रा की आँखों की किर्चियाँ उड़ गईं। वो फौरन भीतर गए और

जवाब देता टी-शर्ट पहन लिया। बाहर आए, दोनों हाथों की उँगलियों को फँसा कर आसमान की ओर हाथ उठाकर अँगड़ाई ली। टी-शर्ट मैसेज नुमायाँ हो गया। लिखा था-

Let me in...spect Girls.

राहुल मिश्रा की अर्थपूर्ण मुस्कुराहट देखकर परिधि तमतमा गई। सीधा नीचे उतरी और बिग-बाजार पहुँच कर ही रुकी। शाम को जब वह छत पर टहलती नजर आई तो मकसद टहलना कम और जवाब देना ज्यादा था। जवाब टी-शर्ट ही दे रहा था; जिस पर लिखा था-

"Grow up Boy."

राहुल मिश्रा बाहर निकले, टी-शर्ट को निहारा और वापिस कमरे में घुस गए। परिधि अपनी जीत पर खुश होकर नीचे उतर गई। अगली सुबह जब राहुल मिश्रा टोंड मिल्क की थैली लिए सीढ़ियाँ चढ़ रहे थे तो बटुक शर्मा के साथ नीचे उतर रही परिधि ने सीढ़ियों पर ही वो टी-शर्ट मैसेज देखा जो राहुल ने सफेद वी-नेक टी-शर्ट पर मार्कर से लिखा था। लिखा था-

"बड़ा हो गया। बहुत बड़ा।"

बटुक की बेटी समझ गई। पढ़ने की कोशिश तो बटुक शर्मा ने भी की; लेकिन फिर उन्हें एहसास हो गया कि उनके चश्मे का नंबर बदलने का वक्त आ गया है।

उसी शाम राहुल मिश्रा बेचैनी से अपने जवाब के इंतजार में छत पर टहल रहे थे। परिधि अभी तक छत पर नहीं आई थी। शायद मैसेज टी-शर्ट ढूँढ़ने में थोड़ी देर हो गई थी; आखिरकार टी-शर्ट मिल गई। टी शर्ट पहने बटुक की लाडली छत पर आई। मैसेज अबकी दफा बहुत छोटा था। पीले वाले स्माइली के साथ लिखा था-

"LOLZ"

बर्फ पिघल रही थी। राहुल मिश्रा इस पिघलती बर्फ को देखकर खुश हुए। कमरे के भीतर गए और दूसरी टी-शर्ट भी खराब कर दी। अबकी बार मैसेज आत्मीय था-

"हँस मत पगली! प्यार हो जाएगा।"

बर्फ पिघल गई थी। पगली वाकई हँस दी थी। प्यार हो रहा था। पानी की बोतलों के आदान-प्रदान का सिलसिला चल पड़ा था।

भेद जिया के खोले ना

राहुल मिश्रा का टॉवर सचमुच पकड़ रहा था। राहुल के कहने पर तो मैं यह बात बिल्कुल ही न मानता; लेकिन उस दिन मुझे पहली दफा एहसास हुआ कि कुछ पक रहा है। राहुल नीचे टहलते हुए मोबाइल पर घरवालों से बातें कर रहा था और मैं सामने राशन की दुकान से सामान ले रहा था। मैंने देखा कि परिधि कपड़े से भरी बाल्टी लेकर छत पर आई। निचोड़े हुए कपड़े को फिर से निचोड़कर वह उन्हें छत की अलगनी पर डालने लगी। कपड़े डालते वक्त ही उसने देखा कि राहुल नीचे टहल रहा है। वह मुझे नहीं देख पाई क्योंकि मैं सामने के राशन दुकान की ओट में था। उसने तेजी से अपने हाथों की कंघी बनाई और फिर उनसे बाल बनाए। मैंने उसे एक ही कपड़े को दो-तीन दफा फैलाते हुए भी देखा। दरअसल वह चाह रही थी कि राहुल ऊपर की ओर देखे। मगर राहुल अपनी ही परेशानी में टहल रहा था और हमें वैसे भी बटुक शर्मा द्वारा *'अपने काम से काम रखने की'* सख्त हिदायत थी। पहले तो थोड़ी देर परिधि ने राहुल के ऊपर देख लेने का इंतजार किया। जब राहुल ने छत की ओर नहीं देखा तो अचानक ही परिधि ने धीरे से बटुक शर्मा की एक धुली हुई शर्ट नीचे गिरा दी और बोली,

"सुनो।"

परिधि की आवाज इतनी धीमी थी कि राहुल नहीं सुन पाया।

"ओए!" अबकी बार आवाज थोड़ी तेज थी। राहुल फिर भी नहीं सुन पाया।

"ओ नीचे वाले।" अबकी बार परिधि जोर से चिल्लाई। राहुल के साथ-साथ आने-जाने वाले दो-तीन लोगों ने भी ऊपर की ओर देखा।

"जरा वो शर्ट ऊपर फेंक दो।" परिधि ने राहुल को देखते हुए अनमने से कहा।

राहुल हड़बड़ा गया। उसने तेजी से जाकर शर्ट उठाई और ऊपर की जानिब उछाल दिया। मगर शर्ट हल्की होने की वजह से फिर नीचे गिर गई। दो-तीन बार ऐसा करने के बाद उसने हारकर ऊपर देखा तो परिधि मुस्कुराते हुए हथेली पर ठोढ़ी टिकाए राहुल को एकटक देख रही थी। उसने अपनी हथेलियों के इशारे से राहुल को पहले थमने का इशारा किया। राहुल रुककर उसे देखने लगा। उसने फिर हाथ के इशारे से शर्ट में गाँठ लगाने को कहा। फिर दुबारा गाँठ लगाने का इशारा किया। जब शर्ट बँधकर बॉलनुमा हो गई तो राहुल ने ऊपर देखा। परिधि ने अब उसे ऊपर फेंकने का इशारा किया। राहुल ने शर्ट को ऊपर की तरफ उछाल दिया। शर्ट ठीक छत पर जा कर गिरी। परिधि ने शर्ट की गाँठे खोलीं उसे झाड़ा और फिर राहुल की ओर मुस्कुराहट के साथ बे-आवाज थैंक-यू उछाल दिया।

परिधि अब अक्सर ही कपड़े सुखाने छत पर आने लगी थी और कुछ दिनों में ही मैंने देखा कि कपड़े बाल्टी में भरकर लाती तो परिधि है; मगर उन्हें छत पर बँधे तार पर डालने का काम राहुल कर रहा है। छत पर बैठकर मेरे साथ शतरंज खेलता राहुल, दूर खड़ी परिधि की आँखों के इशारे से चालें चलने लगा था। पौधों में पानी तो परिधि डालती; लेकिन बाल्टी राहुल खिसकाता। घर को ठंडा रखने के लिए छत पर पाइप से पानी तो परिधि डालती पर पाइप के मुँह को दबाकर कोनों तक पानी पहुँचाने का हुनर राहुल सिखाता। इधर राहुल मिश्रा को पनीर खाने की तलब होती; उधर न जाने कैसे दूध में नींबू गिर जाता। मैं एक और कहानी का मूक गवाह बन रहा था। मगर मुझे इस बात का संतोष था कि चूँकि राहुल परिधि के साथ व्यस्त है इसलिए वह किसी और खुराफात में ध्यान नहीं लगाएगा। लेकिन मेरा ये भ्रम

उस दिन गलत साबित हो गया जिस दिन कॉलेज से घर लौटते समय राहुल ने अचानक ही पूछ दिया,

''कब तक रहना है झाड़ी यहाँ ?''

''जब तक मार के निकाल न दिए जाएँ।'' मैंने सीधा कहा।

''मतलब ?'' राहुल ने जानकर अंजान बनते हुए पूछा।

''मतलब तुम जो कबड्डी खेल रहे हो ना, कभी फोरम मॉल तो कभी सिनेमा हॉल वाला। लड़की बदल गई ना जसप्रीत की तरह, तो जान लो कि पिटा के ही निकलना है यहाँ से भी।'' मैंने एक साँस में कहा।

''नहीं झाड़ी। सब लड़की एक जैसी नहीं होती हैं और ये तो बिल्कुल भी वैसी नहीं है। इसको भरपेट प्यार की जरूरत है। दुखिया है बेचारी!'' राहुल की नौटंकी जारी थी।

''दुखिया! दुखिया है दिल्ली में ? और तुम साले टॉयबॉय हो टाटानगर के। ऐसा-ऐसा वर्ड यूज करोगे तो पानी सरक जाएगा हमको।'' मैंने हँसते हुए कहा।

''हँस लो झाड़ी! उस पर तो किस्मत भी हँस ही रही है।'' राहुल ने दोनों हाथ मिलाकर सिर के पीछे तकिया बनाते हुए कहा।

''कौन-सा दुख है तुम्हारी दुखिया को ?'' मैंने हँसी पर काबू पाते हुए पूछा।

''उसका ब्वॉयफ्रेंड एक्जाम से ऐन पहले उसको धोखा दे दिया था। बेचारी एक्जाम भी नहीं दे पाई।'' राहुल ने उदासी से कहा।

''ये दुख है ?'' मैंने आश्चर्य से कहा।

''हाँ झाड़ी। बहुत बड़ा दुख है! तुम क्या जानो। तुमको तो लड़की लव लेटर देगी तो तुम साले आटा-चक्की का रसीद समझ कर फेंक दोगे। तुमको क्या पता लड़कियों का दुख। बेचारी एक दिन शायरी भी सुनाई।'' राहुल ने कहा।

''जय हो, जय हो! क्या शायरी थी ?'' मैंने मौज लेते हुए पूछा।

''फूफाजी का ही था। कैसे तो था- *वफा की आस है बेवफा सनम से,* ऐसा ही कुछ।'' राहुल ने याद करते हुए कहा।

''हमको उनसे है वफा की उम्मीद

जो नहीं जानते वफा क्या है।'' मैंने बात समझते हुए कहा।

''हाँ-हाँ यही। एकदम यही।'' राहुल ने उछलकर बैठते हुए कहा।

''तुमको तो समझ आया नहीं होगा?'' मैंने पूछा।

''समझ के क्या करना था झाड़ी। वो अपना सुनाई, हम अपना सुना दिए। लड़की खुश हो गई।'' राहुल ने कहा।

''तुम! शायरी सुनाए! क्या सुनाए बेटा?'' मैंने अचरज से पूछा।

''हम कहे कि

वो बेवफा है तो क्या, मत बुरा कहो उसको।

तुम मुझसे सेट हो जाओ, दफा करो उसको।'' राहुल ने हँसी रोकते हुए कहा।

''भाग साले, कसम से!'' मैंने आश्चर्य के साथ हँसते हुए कहा।

''हाँ तो और क्या। हमको जो आएगा वही तो सुनाएँगे।'' राहुल ने हाथ का कड़ा घुमाते हुए जवाब दिया।

''मरो साले।'' मेरा हँसना जारी रहा।

''अच्छा, छोड़ो दुख-दर्द। मेरे सवाल का जवाब दो। कब तक रहना है यहाँ?'' राहुल ने फिर पूछा।

''दो साल का एमबीए या मेरा सीडीएस जो पहले कम्प्लीट हो जाए; तब तक तो रहना ही पड़ेगा।'' मैंने कहा।

''ओके। तो फिर दो महीने का रेंट तुम दो, दो महीने का हम।'' राहुल ने कहा।

''और बाकी आठ महीना?'' मैंने पूछा।

''बाकी आठ महीने का रेंट बटुक देगा।'' राहुल ने उठकर मेज पर उँगलियाँ चलाते हुए कहा।

''बटुक! अपने ही मकान का किराया देगा?'' मैंने आश्चर्य से पूछा।

''हाँ झाड़ी, बटुक अपने ही मकान का किराया देगा।'' राहुल ने टेबल को तबला बनाते हुए कहा।

''ये सब खतरनाक आइडिया घर पर ही क्यों नहीं छोड़ दिया पंडित! ये दिल्ली है भाई।'' मैंने अपना डर जताया।

''जब से घर छोड़ दिए तब से डर छोड़ दिए झाड़ी।'' राहुल ने इयरबड

कान में डालते हुए बात पर विराम लगा दिया।

***

राहुल मजाक नहीं कर रहा था। उसके जेहन में चलने वाली बातें जबतक जमीन पर नहीं आ जातीं या फिर वो खुद ही नहीं बता देता, तबतक जानना नामुमकिन था। कमरे, क्लास, कॉलेज और कन्याओं के बीच भी उसका दिमाग कहीं और दौड़ रहा था। कहाँ? यह पता मुझे उस रोज चला जिस रोज हम दूसरे महीने का किराया देने बटुक शर्मा के घर पहुँचे। कॉलबेल बजाई। दरवाजा परिधि ने ही खोला। दरवाजा खोलकर वह साथ के लगे दूसरे कमरे में चली गई। हम कमरे में दाखिल हुए। बटुक शर्मा लैपटॉप लिए कुछ काम कर रहे थे।

''नमस्ते अंकल।'' मैंने कहा।

''नमस्ते। किराया लाए हो?'' बटुक शर्मा अपने लैपटॉप से सिर उठाए बगैरे बोले।

''जी अंकल।'' राहुल उनके ठीक पीछे आलमारी में लगे आदमकद शीशे में परिधि का अक्स देखते हुए बोला। परिधि दूसरे कमरे से झाँक रही थी।

''7 तारीख कह के 10 तारीख को दे रहे हो?'' बटुक शर्मा ने अपनी दाएँ हाथ की तर्जनी से लैपटॉप के बटन दबाते हुए कहा।

''सॉरी अंकल। इस बार पापा को पैसे भेजने में देरी हो गई।'' मैंने आगे बढ़कर पैसा देते हुए कहा।

''तो एक काम कर। अपणे पापा से कह कर पूरे साल का किराया एक बार ही मँगवा ले।'' बटुक शर्मा ने नोट गिनते हुए कहा।

''लेकिन...!'' मैंने अभी बात पूरी भी नहीं की थी कि राहुल बोल पड़ा–

''अंकल ठीक ही तो कह रहे हैं। बार–बार पापा को भी पैसे भेजने का झंझट रहेगा। इसलिए एकमुश्त किराया मँगवा लेते हैं।'' राहुल ने एकटक शीशे में देखते हुए कहा।

''जे बालक तुझसे समझदार है।'' बटुक शर्मा ने राहुल के बारे में मुझसे कहा।

''ओके अंकल। तो हम पापा से कहकर तीन-चार महीने का रेंट एक ही बार मँगवा लेते हैं।'' राहुल ने शीशे में देखते हुए ही कहा।

''हाँ।'' बटुक शर्मा ने कहा।

''ठीक है अंकल। हम घर से एक बार ही तीन-चार महीने के पैसे मँगवा लेते हैं।'' राहुल ने फिर वही बात दुहराई।

''बताशे खाओगे बेटा?'' बटुक शर्मा ने जब राहुल को एक ही बात दुहराते हुए सुना तो कहा।

''नहीं अंकल। थैंक यू।'' मैंने ही जवाब में कहा।

''तो फिर घर जाओ, गणित के सवाल लगाओ। यहाँ खड़े होकर समय क्यों बर्बाद कर रहे हो?'' बटुक शर्मा ने लैपटॉप से आँखें उठाए बगैर कहा।

''जी अंकल।'' कहकर मैं राहुल को हाथ से खींचकर झटके से बाहर ले आया। राहुल अभी भी शीशे में देखने की नाकाम कोशिश कर रहा था। बाहर आते ही राहुल मुझ पर बिगड़ गया-

''क्यों खींच लिए झाड़ी, यार अभी-अभी तो काम बनने वाला था।'' राहुल ने झल्लाते हुए कहा।

''इतनी बेइज्जती कम थी क्या, साले! लड़की ऐसे ताड़ रहे थे जैसे आज ही तिलक चढ़वा लोगे।'' मैंने लगभग खीझते हुए कहा।

''लड़की! तुमको क्या लग रहा है कि हम आईना में लड़की देख रहे थे?'' राहुल ने कहा।

''अब शीशे में बटुक का पीठ तो निहारोगे नहीं।'' मैंने भी गुस्से में ही कहा।

''ऐसा है झाड़ी कि जब आप लूडो में 98 का साँप देखते हैं ना तो हम 21 की सीढ़ी देखते हैं।'' राहुल ने चलते-चलते ही कहा। बातें करते हम छत पर पहुँच गए। छोटू दरवाजे के बाहर ही बैठा हुआ हमारा इंतजार कर रहा था। राहुल ने किचेन का ताला खोलते हुए उसे चाय बनाने को कहा और हम कमरे में गए।

''बताओ साले। क्या साँप-सीढ़ी खेल रहे थे?'' मैंने पूछा।

''बटुक का नेट बैंकिंग आईडी- 83**21*9 और पासवर्ड है p@ ssw0rD.'' राहुल ने बैठते हुए बहुत ही धीरे से कहा।

"क्या?" मैं चौंक पड़ा।

"हाँ झाड़ी।" राहुल ने कहा।

"तुमको कैसे पता?" मैंने भौंचक होकर पूछा।

"शीशे के उलट बैठ के आईडी, पासवर्ड डालोगे और फिर दोष दोगे हैकर्स को!" राहुल कमरे में बिस्तर पर लेटकर लैपटॉप खोलते हुए कहा।

"हैकर हो तुम!! ऐसा फेंकोगे तो फेंकर कहलाओगे।" मुझे बात समझते ही हँसी आ गई थी।

"छोड़ो भाई।" राहुल ने बात घुमाने की कोशिश की।

"अच्छा बताओ तो मेरा क्या पासवर्ड है?" मैंने मजाकिया लहजे में पूछा।

"छोड़ो ना झाड़ी। तुम पिल जाओगे।" राहुल ने हँसते हुए कहा।

"झूठ मूठ का भाव टाइट कर रहे हो।" मैंने कहा।

"ये ibu-hatela कौन है झाड़ी?" राहुल ने आँख मारते हुए कहा। मेरा चेहरा जर्द हो गया। मेरा पासवर्ड ibu-hatela ही था।

"तुम साले मेरा पासवर्ड कब झाँक लिए?" मैंने गुस्से से कहा।

"हम क्यों झाँकेंगे। अभी दो दिन पहले ही तो पासवर्ड बदले हो। उसके पहले वाला तो N@GR@J था।" राहुल ने दाढ़ी खुजाते हुए कहा।

"फ्रॉड हो साले तुम!" मैंने आश्चर्य से सिर पर हाथ रखकर कहा।

"लेकिन क्या फायदा। फर्जीफिकेशन करने कहाँ दिए तुम! बटुक का तो बस आईडी और पासवर्ड ही पता चल पाया। वेरिफिकेशन के वक्त वन टाइम पासवर्ड के लिए तो ई-मेल का भी पासवर्ड चाहिए।" राहुल ने निराश होते हुए कहा।

"तो तुम सच में बटुक के अकाउंट से पैसा निकालने की सोच रहे हो क्या?" मैंने कहा।

"धीरे बोलो। सिर्फ सोच नहीं रहे हैं; बल्कि निकालेंगे।" राहुल ने कहा।

"दाल-भात के कौर जितना आसान नहीं है। कैसे करोगे। किसके अकाउंट में ट्रांसफर करोगे?" मैंने पूछा।

"उसका इंतजाम है। पालिकाबाजार में है एक हवाला वाला। सतबीर।

कुछ कमीशन लेके कैश हवाला कर देगा; पर पहले बटुक का पासवर्ड तो पता चले।'' राहुल ने अपना लैपटॉप खोलते हुए कहा।

''कैसे पता होगा वो?'' अब मैं भी जुड़ता जा रहा था।

''पता चल जाएगा। बस झारखंड का कोई एड्रेस प्रूफ मिल जाए नेट पर। मिल जा.... मिल जा.... मिल गया!'' राहुल ने नेट पर इमेजेज ढूँढ़ते हुए खुशी से कहा।

''क्या मिल गया?'' मैंने चाय राहुल की ओर बढ़ाते हुए पूछा जो छोटू लेकर आया था।

''एक-से-एक बेवकूफ आदमी हैं दुनिया में। देखो तो, मेरे लिए एड्रेस प्रूफ भी छोड़ा है नेट पर। अब इसको जरा फोटोशॉप कर दें झाड़ी। हाँ, अब ठीक है।'' राहुल ने बिजली की तेजी से उस फोटो में अपना नाम डाल दिया। कुछ और जरूरी परिवर्तन किए।

''ये देखो, ये गया मेल बटुक के बटक में।'' राहुल ने चाय पीते हुए हुए कहा।

राहुल को लैपटॉप पर काम करता देख छोटू भी वहीं खड़ा हो गया। मैंने देखा कि खाली कप के इंतजार में खड़ा वह बार-बार राहुल से कुछ कहना चाह रहा है; मगर उसके बोल बाहर नहीं आ रहे हैं। आखिरकार मैंने ही उससे कहा–

''क्या बात है छोटू?''

''भइया जी। मुझे भी सिखा दो ये कंप्यूटर।'' छोटू ने खड़े-खड़े ही कहा।

''तू क्या करेगा सीख के?'' राहुल ने पूछा।

''टिकट बनाऊँगा। मेरे देश से लोग बाहर मुलुक काम करने जाते हैं। तो गाम में ही टिकट बनाने का काम कर लूँगा। घर पर ही रहकर कमाई भी हो जाएगी।'' छोटू ने कहा।

''तू पहले चाय बनाना सीख ले। तेरी चाय और ट्रेन की चाय में कोई अंतर ही नहीं है।'' राहुल ने झल्लाकर चाय का कप एक तरफ रखते हुए हा। छोटू कप उठाकर बुझे मन से कमरे से बाहर चला गया। उसके जाते हुल ने कहा–

चलो तो झाड़ी, जरा बटुक शर्मा से मिल आया जाए।''

"हम नहीं जाएँगे साले। फिर बेइज्जती होगी।" मैंने सीधा मना किया।

"नजीर हुसैन हो गए हो झाड़ी। बात-बात पर बेटी भाग जाती है तुम्हारी। चलते हो कि नहीं?" राहुल ने हाथ खींचते हुए कहा।

"चलो, लेकिन अबकी बेइज्जती किया ना बूढ़ा तो...।" मैंने अभी आधा ही कहा था।

"तो निकाल के हाथ में दे देना उसके। अब चलो।" राहुल ने लैपटॉप बंद करते हुए कहा। उसकी बात सुनकर मुझे हँसी आ गई।

"बटुआ निकाल के हाथ में पैसे देने की बात कर रहे हैं झाड़ी। तुम हमेशा हमको उल्टा समझते हो यार।" राहुल ने गंभीर होने का अभिनय करते हुए कहा।

इन्हीं बातों के साथ हम बाहर निकले। बाहर निकलते ही मैंने देखा कि छोटू कप साफ करते हुए उदास खड़ा है। मुझे एहसास हुआ कि वह राहुल की झिड़की से उदास है। मैं किचेन में गया और उससे कहा,

"तू घबरा मत। मैं सिखा दूँगा तुझे कंप्यूटर।" मेरे इतना कहते ही छोटू खुश हो गया। उसकी पीठ पर धौल देकर मैं किचेन से बाहर आ गया। मैं और राहुल सीढ़ियों से उतरकर अब बटुक शर्मा के दरवाजे पर थे।

राहुल ने पहले से ही खुले दरवाजे पर दस्तक दी और हम अंदर घुस गए। अंदर घुसते ही मैंने देखा कि बटुक शर्मा शीशे के पास से उठकर अब सोफा पर बैठ गए हैं। मुझे थोड़ी मायूसी हुई। मैं अभी यह सोच ही रहा था कि राहुल ने कहा,

"नमस्ते अंकल। राहुल की बात का जवाब न देते हुए बटुक शर्मा ने अपनी पत्नी को आवाज लगाई, "छोरे को एक बोतल पानी दे दे, फ्रिज तै निकाल के।" मैं झेंप गया; मगर राहुल ने कहा-

"नो थैंक्स अंकल। मैं तो बस ये बताने आया था कि ऐड्रेस प्रूफ आपको मेल कर दिया है।" आप प्लीज चेक कर लीजिए।

"हाँ हाँ। एक मिनट रुक।" कहकर बटुक शर्मा अपनी बाईं हाथ की तर्जनी से की-पैड के बटन दबाने लगे। राहुल उनकी उँगलियों की हरकतों को देख रहा था और मैं राहुल के चेहरे पर उतरते-चढ़ते भावों को पढ़ने की कोशिश कर रहा था। इसी बीच बटुक शर्मा बोल पड़े-

"हाँ, आ गई मेल। पुलिस वेरिफिकशन करवाऊँगा दोनों की। कोई केस-वेस तो ना है?"

"नहीं अंकल। आप वेरिफिकेशन करा सकते हैं।" राहुल ने कहा।

"ठीक है। जाते हुए पानी की बोतल लेते जा।" उन्होंने फिर यह इशारा किया कि अब हमें निकल जाना चाहिए। अबकि बार हमदोनों बिना कुछ बोले निकल आए।

"ठंड पड़ गई। करा ली बेइज्जती!" मैंने गुस्से में उबलते हुए कहा।

"बेटा, पूरी जवानी बेबी-ओवर किए तब नहीं हुई बेइज्जती तुम्हारी। यहाँ दूसरे शहर में पिता समान आदमी पानी पिला रहा है तो बेइज्जती हो रही है तुम्हारी!" राहुल ने उँगलियों पर कुछ गिनते हुए कहा।

"गुस्सा इस बात पर आ रहा है कि काम भी नहीं बना यार।" मैंने हाथ-पर-हाथ मारते हुए कहा।

"बन गया झाड़ी, काम भी बन गया।" राहुल ने मेरी बात का मतलब समझते हुए कहा।

"क्या, मतलब पासवर्ड मिल गया मेल का?" मैंने अवाक् होकर पूछा।

"हाँ भाई। और इसका भी वही पासवर्ड है- p@ssw0rD. पहले ही ट्राई करना चाहिए था। बुड्ढा से दो बच्चा तो हुआ नहीं, दो-दो पासवर्ड कहाँ संभाल पाएगा!" राहुल ने हँसते हुए कहा।

"अवतार हो राहुल तुम!" मैंने सिर खुजलाते हुए कहा।

"I am obliged sir !" राहुल ने भी हँसते हुए कहा।

"लेकिन मिला कैसे बे? अबकी बार तो शीशे के उलट बैठा भी नहीं था बटुक?" मैंने तकिया अपनी गोद में रखते हुए सही सवाल पूछा।

"बैल है बूढ़ा। पूरा बैल। उसको पता नहीं कि टाइपिंग सीखे हुए किसी भी आदमी के पास बैठकर पासवर्ड टाइप नहीं करना चाहिए। उनको कौन-सा बटन कहाँ और कितनी दूरी पर है, सब याद हो जाता है और बटुक तो वैसे भी पागल है। एक-एक उँगली से बटन प्रेस कर रहा था।" राहुल ने कहा।

"गज्जब! इसी तरह मेरा भी पासवर्ड पता किए थे न?" मैंने पूछा।

"नहीं। वो अलग तरीका था। कभी और बताएँगे।" राहुल ने कहा।

''साले, पैदा तो बायोलोजिकली हुए थे कि वो भी टेक्नोलोजिकली।'' मैंने फिर मजाक किया।

''छोटी-छोटी बात में माँ-बाप को बीच में लाना ठीक नहीं झाड़ी।'' राहुल ने मुस्कुराते हुए कहा।

''अब क्या करोगे!'' मैंने गाल पर हाथ फेरते हुए पूछा।

''बताए तो, पालिका बाजार का एक चेला है। नये टाइप का हवाला करता है। बात कर लिए हैं। कमीशन काट के पैसा दे देगा। उसी को भेज रहे हैं। लो, बेनिफिसियरी ऐड हो गया। कोड आया मेल में। मेल खोल लिए। कोड भी डाल दिए। 24 घंटे में एक्टीवेट हो जाएगा। हो गया 2 महीने के किराए का इंतजाम।'' अब मेल डिलीट कर देते हैं। राहुल ने तेजी ने लैपटाप पर उँगलियाँ फिराते हुए कहा।

''तुमको डर नहीं लगता है बेटा?'' मैंने उसकी बात अनसुनी करते हुए कहा।

''डर का तो ऐसा है झाड़ी कि डर तो बचपन में ही पड़ोस वाली रंभा आंटी निकाल दी थी जब हम उनके....'' राहुल ने अभी आधा ही कहा था कि मैंने टोक दिया-

''बस-बस रहने दो। पचास बार सुन चुके हैं तुम्हारा एडवेंचर विथ मद्रासी जवानी। वो भी सब-टाइटल के साथ।'' मैंने कहा।

''अच्छा तो एक शायरी ही सुना दो।'' राहुल ने लेटते हुए कहा।

''सुनो साले, समझ में तो आना है नहीं; फिर भी सुनो-

हुई मुद्दत कि गालिब मर गया पर याद आता है।

वो हर एक बात पर कहना कि यूँ होता तो क्या होता।'' मैंने गाकर सुनाया।

''बटुक की बेटी से पूछेंगे झाड़ी। वही बता पाएगी, लेकिन हमको लगता है कि यूँ होता तो शर्तिया लड़का होता। अब कोई हाथी-घोड़ा तो हो नहीं जाता!'' राहुल ने कमरे की लाइट बंद करते हुए शायरी की बखिया उधेड़ दी।

भँवरा बड़ा नादान

दिल्ली नया शहर था। अलग भी था और आगे भी। बाहरी शहरों से आए लड़कों को यहाँ अभ्यस्त होने में जो समस्याएँ आती हैं वो हमें भी आ रही थीं। शहर की भाषा, लहजा, रफ्तार, आत्मविश्वास इत्यादि सभी में एक तीक्ष्ण तेजी थी। छोटे शहर से होने के कारण दिल्ली के अनुकूल खुद को ढालने में वक्त लग रहा था। मैं अपने सीडीएस को प्राथमिकता देने के कारण शहर को वक्त नहीं दे पा रहा था। ऊपर से एमबीए की पढ़ाई भी खासी तवज्जो माँग रही थी; लेकिन राहुल खुद को इस शहर में मुझसे बेहतर ढाल रहा था। कॉलेज में भी वो मेरे मुकाबले ज्यादा आत्मविश्वास से लबरेज रहता था। इसका एक कारण तो उसका बहिर्मुखी स्वभाव था। दूसरा कारण उसकी परिधि से दोस्ती थी। परिधि से नजदीकियों की वजह से उसके बोलने में, उसके हावभाव में एक शहरीपन, एक सकारात्मक प्रभाव साफ दिखता था। राहुल का संबंधों को लेकर खिलंदड़ापन मैं देखता आया था। मगर इस बार क्योंकि शहर दूसरा था, इसलिए मुझे उससे परिधि को लेकर गंभीर होने की उम्मीद थी। मेरी यह उम्मीद भी उसी दिन टूट गई जिस दिन राहुल ने कहा,

"झाड़ी एक बात बकें?"

"बको।" मैंने मैनेजेरियल इकोनोमिक्स की किताब पलटते हुए कहा।

"प्यार की निशानी क्या होता है झाड़ी?" राहुल ने ओढ़ी हुई गंभीरता

से पूछा।

''क्या मतलब ?'' मैंने किताब बंद कर दी।

''यार, बटुक की बेटी कह रही थी कि उसको प्यार की निशानी चाहिए।'' बात खत्म कर राहुल ने हँसी दबाने के लिए मुँह पर हाथ रख लिया।

''अबे जलील इंसान। शर्म करो। यहाँ भी पंचायती शुरू कर दिए!'' मैंने गुस्साते हुए कहा।

''बताओ तो। निशानी उसको चाहिए और जलील हम! और यहाँ भी-वहाँ भी से क्या मतलब ? इतने क्षेत्रवादी न बनो झाड़ी। प्यार तो कोने-कोने में फैलना चाहिए।'' राहुल ने बेचारगी से कहा।

''उसको तो समझ नहीं है; बच्ची है वो।'' मैंने बच्ची शब्द पर जोर देते हुए कहा।

''हाँ और हम तो जैसे आलोक नाथ हैं। दो बार ट्वेल्थ में पढ़ चुकी है। हमसे ज्यादा एक्सपीरियंस है उसको।'' राहुल ने उँगलियों से दो बनाते हुए कहा।

''तो ?'' मैंने तल्ख आवाज में कहा।

''तो क्या ? प्यार की निशानी देना मेरे प्यार का फर्ज है।'' राहुल ने अपने उपन्यासों की दुनिया से एक लाइन उधार ले ली।

''अबे कुछ गड़बड़ हो गया तो बटुक शर्मा पूरे लक्ष्मीनगर से सोटवाएगा।'' मैंने डरते हुए कहा।

''साले, तुमसे समझदार तो बटुक की बेटी है। पता है क्या कही ?'' राहुल के पास जवाब तैयार थे।

''क्या ?'' मेरे पास सवाल तैयार थे।

''कही कि I am on pills.'' राहुल ने अर्थपूर्ण मुस्कुराहट के साथ कहा।

''क्या ? जा रे जमाना! अब हम क्या कहें। फिर भी; देख लो झाड़ी।'' मैंने समझते हुए भी लाचारी से कहा।

''तुम देखने देगा तब ना ?'' राहुल ने फिर छूटती हँसी को दबाते हुए शरारत से कहा।

''मतलब ?'' मैंने उसकी बात समझते हुए भी अंजान बनते हुए कहा।

''मतलब तुमको दिख नहीं रहा है कि सबेरे से दो बार झाड़ू मार दिए रूम में।'' राहुल ने कमरे की सफाई की ओर इशारा करते हुए कहा।

''यहीं पर। आज ही ?'' बात समझते ही मेरे कबूतर उड़ गए।

''हाँ तो और क्या। छोटी-छोटी बात पर होटल बुक करें ?'' राहुल ने ढिठाई से कहा।

''अबे फँस जाएँगे पंडित।'' मुझे अब सचमुच डर लग रहा था।

''कुछ नहीं होगा। अगर बटुक देख भी लिया तो कह देंगे कि अंकल हम एक कमजोर लम्हे में थोड़े और कमजोर पड़ गए।'' राहुल ने फिर कोई बासी लाइन चेप दी।

''अभी थोड़ी देर में छोटू आ जाएगा खाना बनाने।'' मैंने मन-ही-मन खुश होते हुए कहा।

''नहीं आएगा। बहुत दिन से क्रिकेट-क्रिकेट कर रहा था। टिकट करा दिए हैं आज फिरोजशाह कोटला में ड्यूटी बजाएगा।'' राहुल ने शैतानी से कहा।

''और खाना ?'' मैंने गुस्से से कहा।

''कल की खिचड़ी है न। गरम कर लेंगे दोनों भाई।'' राहुल ने फिर थप्पड़ के डर से पीछे हटते हुए और हँसते हुए कहा। मुझे गुस्सा तो आ रहा था; मगर अभी तो खाने से भारी मुश्किल सामने थी।

''अबे रूम कितना गंदा है! सात दिन से एक ही चादर बिछा है!'' मैंने आखिरी कोशिश की।

''उसकी चिंता मत करो; चादर है मेरे पास। ये देखो।'' कहकर राहुल ने उत्तर रेलवे लिखी चादर दिखाई।

''ये क्या! रेलवे की चादर! भोसड़ी के, तुम ट्रेन से चादर उठा लाए!'' मेरा मुँह आश्चर्य से खुला रह गया।

''नहीं भाई, तौलिया भी है।'' राहुल ने फिर हँसते हुए कहा।

''बेगैरत आदमी। मेरे बेड पे बिछाना मत, कह देते हैं।'' मैंने अबकी बार गुस्से से कहा।

''प्लीज झाड़ी, दोनों बेड मिलाने दो ना। प्लीज।'' राहुल ने घुटनों पर बैठकर मेरे पैर पकड़ लिए।

''मरो साले!'' मैंने गुस्साते हुए कहा।

''हम जानते हैं। तुम दिल का बुरा नहीं है झाड़ी। दोस्त के लिए तुम बेड तो क्या, हेड भी कुर्बान कर सकता है।'' राहुल ने बेड खींचते हुए कहा।

''इतना सब सोच लिए हो तो मेरे बारे में भी सोच ही लिए होगे। बता दो कहाँ जाएँ?'' मैंने बेचारगी में गुस्सा मिलाते हुए कहा।

''तुम कहाँ जाएगा! यहीं बैठो। बाहर सीढ़ी पर। नमक हलाली करो।'' राहुल ने आरा-मश्क छिड़कते हुए कहा।

''नमक हलाली!'' मैंने चौंकते हुए राहुल को देखा।

''खर्चे वाला एक्सेल शीट देखो। हर बार नमक हम ही खरीदे हैं।'' राहुल ने आईना देखते हुए कहा।

''अच्छा, अब समझा। लेकिन जो तुम करवा रहे हो ना; उसे हलाली नहीं दलाली कहते हैं।'' मैंने गुस्से में कहा।

''तो वही कर दो और सुनो, थोड़ी एक्टिवता दिखाओ। जल्दी निकलो। उसके आने के बाद बाहर से ताला लगा देना। कोई पूछे तो कहना कि राहुल चाभी लेकर बाहर चला गया है और तुम्हारे पास दूसरी चाभी नहीं है।'' राहुल ने चादर ठीक करते हुए कहा।

कुछ और कहने को बाकी था भी नहीं। राहुल सबकुछ पहले ही तय कर चुका था। दोस्ती की सबसे बड़ी कीमत यही होती है कि यह सही-गलत से परे होती है। मुझे चाहे-अनचाहे सीढ़ियों पर बैठना ही था और मैं बैठ गया। किताबों में भी मन नहीं लग रहा था; ऊपर से मक्खियों ने भी परेशान कर रखा था। इसलिए मैं मोबाइल में धीमी आवाज में ही एफ.एम. सुनने लगा।

''Hey Ya!'' यह आवाज इतनी धीरे आई कि मैं ठीक से सुन भी नहीं पाया। पाँव दबाकर परिधि के छत पर आने का पता मुझे उसके गुजर जाने के बाद हवा में घुली बर्गेनोट और ऑर्किड की सुगंध से लगा।

''Hi!'' मैंने न जाने किससे कहा। वो तो जाने कब की कमरे में दाखिल हो चुकी थी। बस बाहर से ताला लगाना बाकी था। मैंने धीरे से बाहर से ताला लगा दिया। हालाँकि भीतर से साँकल पहले ही लग चुकी थी। मश्क और आर्किड की मिली-जुली मादक खुशबू अब हवाओं में थी। मुझे आकर सीढ़ियों पर बैठ जाना था और मैं सीढ़ियों पर बैठ गया था। अभी बमुश्किल पाँच मिनट ही बीते होंगे कि नीचे से एक आवाज आई,

"मोहित, बेटा इलेक्ट्रिसिटी का मीटर देख कर बता। अंकल का फोन आया है।"

नीचे से आती आवाज से मेरी रूह काँप गई। धड़कनें आटा चक्की की मशीन की तरह बाहर तक सुनाई देने लगीं। यह आंटी की आवाज थी।

"मोहित।" उन्होंने फिर आवाज लगाई। मैंने कोई जवाब नहीं दिया।

"मोहित।" आवाज फिर आई। मैं फिर चुप रहा। मुझे लगा कि आवाज नहीं पाकर वो सोचेंगी की ऊपर कोई नहीं है और चुप हो जाएँगी; लेकिन जब अचानक ही पायलों की आवाज ऊपर की ओर आने लगी तो मैं समझ गया कि आंटी ऊपर आ रही हैं। मेरे पसीने छूट गए। मैं दरवाजे पर गया और जाकर फुसफुसाया–

"मुसीबत।"

"आनी नहीं चाहिए।" भीतर से राहुल की आवाज आई।

क्या भसड़ है! न लेना न देना और मुसीबत मुझे संभालनी है। मैं कुछ और सोच पाता इससे पहले छत पर सूखने के लिए फैलाई गई एक लाल चुनरी पर मेरी नजर गई। दिमाग को और कुछ न सूझा। झपटकर मैं वहाँ पहुँचा और उस चुनरी को नीचे गिरा दिया। फिर तेजी से ऊपरी सीढ़ियों पर आकर बैठ गया। तबतक आंटी भी आखिरी सीढ़ियों पर आ चुकी थीं।

"ले, बहरा हो रखा है क्या। कब से आवाज लगा रही हूँ; बोलता क्यों नहीं?" आंटी ने घुटनों पर हाथ रखकर धीरे-धीरे सीढ़ीयाँ चढ़ते हुए कहा।

"नहीं आंटी। मैं तो बस आपके पास ही आ रहा था कि सीढ़ियों पर फिसल गया। नीचे एक लाल चुनरी गिरी है। क्या आपकी है?" मैंने अपने पाँव को हाथों से मालिश करते हुए कहा।

"हाय! मेरी माता रानी की चुनरी! माता रानी माफ करें! माता रानी माफ करें! बेटा, जल्दी से जाकर उठा ला। जल्दी कर।" उन्होंने मुझसे कहा।

"आंटी। मैं जा ही रहा था। लेकिन फिसल गया। धीरे-धीरे उतर पाऊँगा। तब तक अगर कोई जानवर उस पर चढ़ गया तो?" मैंने कहा।

"अरे शुभ-शुभ बोल! मैं ही जाती हूँ। तू बस ऊपर से देखता रहियो। माता रानी माफ करें।" कहकर आंटी लँगड़ाते हुए भी तेजी से नीचे चली गई। मैं दौड़कर दरवाजे पर पहुँचा और कहा–

"2 मिनट मोर।"

''10 मिनट और।'' भीतर से आवाज आई।

अजीब लोग हैं! मुसीबत दो मिनट में तबाही ला सकती है और ये 10 मिनट की रिहाई माँग रहे हैं। खैर! मुझे कम-से-कम तो पिटना नहीं था। मैं झाँककर छत से नीचे देखने लगा। आंटी अभी तक पहुँची नहीं थीं। वह अब पहुँची। उन्होंने कान पकड़ चुनरी से तीन बार माफी माँगी और फिर उसे उठाकर ऊपर आने लगीं। मैंने जब देखा कि वो ऊपर आ रही हैं तो उन्हें अपनी मोच दिखाने के लिए सीढ़ियों के सहारे नीचे उतरने लगा और उनसे पहले उनके दरवाजे पर पहुँच गया।

''जुग-जुग जिए बेटा तू। जो आज तू नहीं होता तो माता रानी ने बस शाप दे देना था।'' आंटी ने हाँफते हुए कहा।

''अरे नहीं आंटी। मैं तो आपको बताने ही आ रहा था कि फिसल गया और पैर में मोच आ गई। आपके पास आयोडेक्स होगा क्या आंटी?'' मुझे टाइम बिताने का इससे बेहतर कोई और तरीका नहीं सूझा।

''देखती हूँ बेटा। तेरे अंकल मोच की एक दवा लाए तो थे। अब देखती हूँ किधर रखी है। एक तो ये बूढ़े हो गए पर अपना सामान रखना नहीं आया।'' आंटी ने कहा और दवा ढूँढ़ने लगीं।

अभी आंटी खुद से बातें कर ही रही थीं कि परिधि को मैंने हाथों में सैंडल लिए दबे पाँव नीचे उतरते देखा। वह एक फ्लोर और नीचे उतर गई और फिर सैंडल पहनकर पैर पटकते हुए ऊपर चढ़ने लगी; ताकि यह लगे कि वह नीचे से ही आ रही है। घर में घुसते ही उसने मुझे अनदेखा करते हुए ही अपनी माँ को आवाज दी-

''क्या ढूँढ़ रही है मम्मी?''

''आ गई तू। पापा की मोच वाली दवा कहाँ है? मिल नहीं रही। भइया के मोच आ गई है।'' आंटी ने कहा।

''भइया!'' मुझे करंट-सा लगा। फिर भी मैं मुखौटे की तरह मुँह पर हँसी चिपकाए रहा।

''मैं दे देती हूँ। सीधे हाथ वाली दराज में है।'' कहकर परिधि एक ट्यूब लेकर मेरे पास आई और ट्यूब देते हुए धीमे से बोली- ''थैंक यू।''

मेरे पास इस थैंक यू का कोई जवाब नहीं था। जवाब में मैं बस मुस्करा ही पाया।

"फ्रेंड्स?" परिधि ने दोस्ती का प्रस्ताव रखा।

"फ्रेंड्स।" मैंने धीरे से उसका प्रस्ताव स्वीकार कर लिया। दूसरे किसी रिश्ते की गुंजाइश नहीं थी और भइया होने से तो यह बेहतर ऑफर ही था। मैं धीरे से उठा और लँगड़ाने का नाटक करते हुए कमरे से निकला। दरवाजे से बाहर निकलते ही तेजी से सीढ़ियाँ चढ़ते हुए अपने कमरे में दाखिल हो गया। कमरे में आरा-मश्क और ऑर्किड की मिलीजुली मादक गंध ने मेरे गुस्से को और बढ़ा दिया। राहुल अब भी निढाल पड़ा था। उसे देखकर मेरा गुस्सा पारे की तरह चढ़ गया। मैं उसकी पीठ पर सवार होकर उसके हाथों को पीछे मोड़कर उस पर घूसे बरसाने लगा।

"हाँ हाँ और मारो झाड़ी। और मारो।"

"थोड़ा इधर भी।"

"हाँ, यहाँ भी।"

"हम जलील इंसान है झाड़ी और मारो। सारा बदन टूट रहा है। थोड़ा और दबा दो न झाड़ी।" राहुल घूसे खाता रहा, हँसता रहा और बोलता रहा। जब उसे घूसे मार-मारकर मेरा गुस्सा निकल गया तो मैं भी एक तरफ लुढ़क गया।

"कोई शायरी सुनाओ ना दोस्त।" राहुल ने औंधे मुँह लेटे हुए ही कहा।

"सुनो साले,
इश्क ने सीख ही ली वक्त की तकसीम कि अब
वो मुझे याद तो आता है मगर काम के बाद।" मैंने उसके कहते ही शेर सुना दिया।

"जब काम हो गया तो फिर याद क्यों आता है झाड़ी?" राहुल ने शेर का पोस्टमॉर्टम कर दिया और फिर हम दोनों देर तक बिना किसी बात के हँसते रहे।

कैसा अनाड़ी लागे रे

बटुक शर्मा के पिताजी भरतपुर से दिल्ली आए थे पंडिताई करने। पंडिताई करते हुए उन्हें यह बात समझ आ गई थी कि देश बदल रहा है। अब इसे पंडितों की नहीं नौकरों की जरूरत है। अब इसे शास्त्रों की नहीं सेवकों की जरूरत है। सो बटुक शर्मा पंडिताई की जगह पढ़ाई के काम पर लगाए गए। पढ़ाई बटुक शर्मा के पल्ले नहीं पड़ी पर ये जरूर हुआ कि बाप के डर से बटुक शर्मा दसवीं खींच ले गए। पिताजी ने स्पोर्ट्स कोटा पर चौथे स्तर की नौकरी का जुगाड़ किया। इंटरव्यू में बटुक शर्मा से दो ही सवाल हुए- ''कौन-सा खेल खेलते हो?'' बटुक शर्मा ने कोई खेल खेला हो तब तो बताएँ। घबराहट में बटुक शर्मा मुँह की गोलाइयाँ बना ही रहे थे कि सवाल करने वाले ने मुँह की गोलाइयों से अंदाज लगाते हुए खुद ही जवाब दिया- ''फुटबॉल?''

बटुक शर्मा को जैसे बहत्तर हूरें एकमुश्त मिल गईं। उन्होंने फौरन ही कहा- ''जी सर, फुटबॉल।''

दूसरा मेम्बर थोड़ा खड़ूस था। उसने पहले मेम्बर और बटुक शर्मा के बीच के 'शर्मा कनेक्शन' को शायद भाँप लिया था। इसलिए उसने थोड़ा मुश्किल सवाल किया-

"किस पोजीशन से खेलते हो?"

बटुक शर्मा का दिल काम करना बंद कर देता; इससे पहले ही उनका दिमाग काम कर गया अबकी बार उन्होंने झट से कहा –

"सर, गोलकीपर हूँ।" इंटरव्यूअर पोजीशन का हिसाब लगाते रह गया। बटुक शर्मा ने मैच जीत लिया था।

इस प्रकार बटुक शर्मा एक स्ववित्तपोषित कॉलेज में चतुर्थ श्रेणी कर्मचारी नियुक्त हो गए। पिताजी को दान की मिली 50 गज जमीन पर उन्होंने लोन से मकान भी बनवाया और अब दिल्ली के होकर रह गए।

बटुक शर्मा। पक्के कॉन्ग्रेसी। पिछले तीन चुनावों से वोट सिर्फ इसलिए नहीं दिया क्योंकि गाँधी परिवार का कोई प्रधानमंत्री पद का उम्मीदवार नहीं है। कहते हैं कि अगली बार वोट तभी देंगे जब प्रियंका कमान संभालेगी।

बटुक शर्मा पहले केवल परिवार वालों को ही कमरा किराये पर देते थे। मगर एक दफा एक बंगाली परिवार को कमरा किराये पर क्या दिया, पूरे मकान को पानी की किल्लत आने लगी। किरायेदार की पत्नी खूब कपड़े धोती और छत पर फैला देती। बटुक शर्मा ने जब मना किया तो जवाब मिला, "आमी बाड़ीर भाड़ा दिच्ची तो।"

बटुक शर्मा जवाब सुनकर सन्न रह गए। घर आए और सो गए। अगली सुबह उठे और माता रानी की पूजा करने के बाद सूर्यदेव को जल चढ़ाने छत पर पहुँचे। किरायेदारनी ने ढाकायी तांत की साड़ी फैला रखी थी। बेशकीमती! बटुक शर्मा ने दोनों हाथों से अगरबत्ती पकड़ी और अधर्म का नाश हो, धर्म की विजय हो के उच्चार के साथ ही अगरबत्ती से साड़ी पर लगातार कई फायर किए। साड़ी चलनी हो गई। किरायेदारनी ने बाड़ी और साड़ी दोनों छोड़ दी। उसके बाद से बटुक शर्मा ने कान पकड़ लिया और अब सिर्फ स्टूडेंट्स को ही किराये पर कमरा देते हैं।

बाकी कद-काठी और बात-विचार के हिसाब से बटुक शर्मा दिल्ली के अन्य मकान मालिकों की तरह ही थे। बस दाहिने कान से थोड़ा ऊँचा सुनते थे। नहीं-नहीं। जन्म से नहीं। वो तो हुआ यूँ कि किसी गर्म दोपहर में क्रिकेट देखते हुए बटुक शर्मा दियासलाई की तीली से कान को आराम दे रहे थे। कान की खुजली ने जब ताल पकड़ ली तो बटुक शर्मा तीली पर बेरहम हो गए और तेजी से कान कुरेदने लगे। बचपन से ही कबाड़ियों के

साथ खेले गए खेल में उनके कान में अटका लोहे का बुरादा उन्हें तंग करता आया था जिसने उनके कान में अपना स्थायी निवास बना लिया था। बटुक शर्मा बचपन की यह बात भूलकर कान को बेरहमी से रगड़े जा रहे थे। इस बेरहमी पर तीली और बुरादे दोनों को गुस्सा आ गया। गर्मियों के दिन थे ही। तीली कान के भीतर बुरादे से रगड़ खाकर भक्क से जल गई। बटुक शर्मा कान लिए बाथरूम की तरफ भागे और जब निकले तो शर्म और बेइज्जती के डर से पत्नी तक को नहीं बता पाए। क्योंकि बकौल बटुक शर्मा, उनकी मोहल्ले में बहुत इज्जत थी। हँसते हुए उन्हें अपने इस दुख और दर्द को पी जाना पड़ा।

***

लेकिन बटुक शर्मा आज दुखी थे। वास्तव में वो पिछले तीन दिनों से दुखी थे और यह पकड़ पाना कोई कैलकुलस का सवाल नहीं था। यह उनके उखड़े हुए चेहरे पर छपा था। सीढ़ियाँ चढ़ते-उतरते जब मैंने यह दो तीन दफा नोटिस किया तो उनका हाल पूछ लिया। जवाब बस यह मिला की तबीयत ढीली है।

बात इससे कुछ ज्यादा गंभीर थी; लेकिन इसका जवाब मुझे न उनसे मिलना था, न मिला। जवाब तो मेरे कमरे में मेरा इंतजार कर रहा था। जब मैं छत पर पहुँचा तो देखा कि परिधि छत पर से पानी की टंकी का वाल्व बंद कर अब नीचे जा रही है और राहुल कमरे में औंधा लेटा हिल रहा है। मुझे थोड़ा डर लगा। मैं फौरन ही उसे देखने कमरे में घुसा तो देखा कि दरअसल वह हिल नहीं, हँस रहा था और इस बात का ध्यान रखे हुए था कि हँसी की आवाज बाहर टंकी का वाल्व बंद करती परिधि के कानों तक न पहुँचे।

''क्या हुआ बे। जान बहुत नाराज नजर आई आज?'' मैंने कमरे में घुसते ही पूछा।

''जान के पप्पा की बिग टाइम लंका लगी है।'' राहुल ने कपड़ा मुँह में ठूस कर हँसी रोकते हुए कहा।

''अबे हँस लो खुल के। हँसी पर स्टेट टैक्स नहीं है अभी।'' मैंने राहुल को जबरदस्ती हँसी रोकते हुए देख कर कहा।

''नहीं झाड़ी। हँस के ही तो फँस गए यार।'' राहुल ने कहा।

"हुआ क्या?" मैंने पूछा।

"होना क्या है! बटुक के कॉलेज का एनुअल ऑडिट चल रहा था। दो ऑडिटर आए थे। उसमें से एक ऑडिटर जर्दाखोर था। उसने बटुक के बॉस से रजनीगंधा और तुलसी मँगवाई। बटुक आगे बढ़ के बोला कि सर, हम लेकर आते हैं।" राहुल ने हँसी रोकते हुए कहा।

"फिर?" मैंने उत्सुकता से पूछा।

"फिर क्या! दो घंटे तक ऑडिटर पान-मसाला जैसा मुँह बनाए रहा। दो घंटे बाद बटुक हाँफते-डाँफते मुर्दा पर चढ़ाने वाला रजनीगंधा का फूल लेकर आया और कहा कि सर बहुत ढूँढ़े लेकिन तुलसी पत्ता नहीं मिला। वैसे मुर्दा है कहाँ?" राहुल की देर से दबी हुई हँसी फिर फूट गई।

"बे साला, सच बोल!" मुझे अब भी विश्वास नहीं हो रहा था।

"भगवान कसम भाई!" राहुल ने कसम खाने के अंदाज में गला छूते हुए कहा।

"तुमको ससुर लेकिन सब-का-सब नमूना मिलता है पंडित।" मैंने भी अपनी हँसी पर काबू पाते हुए कहा।

"और हँस दिए तो ससुर की बेटी नाराज हो के चली गई। बताओ तो।" राहुल ने कहा। बटुक शर्मा के बारे में धीमी आवाज में बातें हो ही रही थीं कि बटुक शर्मा की आवाज सुनाई दी।

"क्या कर रहे हैं बेटे जी?"

बटुक शर्मा की खराश भरी आवाज आई। वो पिछले सालभर में आज पहली बार हमारे कमरे तक आए थे। मुझे अब लग रहा था कि समस्या काफी गंभीर है।

"कुछ नहीं अंकल। आइये ना।" मैंने कहा। हालाँकि वो तब तक कमरे में आधा घुस आए थे। राहुल उन्हें देखते ही थोड़ा और सिमटकर बैठ गया।

"May I shit here?" बटुक शर्मा ने कमरे में रखी इकलौती कुर्सी की तरफ इशारा करते हुए पूछा।

"Shit!" राहुल उनकी अंग्रेजी सुनकर दो कदम पीछे खिसक गया। हालाँकि उसे भी पता था कि बटुक शर्मा अंग्रेजी का नुकसान करते रहते हैं लेकिन वह इस तरह अंग्रेजी पर डकैती डाल देंगे, इसका अंदाजा उसे भी

नहीं था।

"हाँ हाँ अंकल, बैठिए ना।" मैंने हँसी दबाते हुए कहा।

"और पढ़ाई कैसी चल रही है आप लोगों की?" बटुक शर्मा ने बात की शुरुआत की।

"जी बेहतर। एक साल और।" फिर आपको तकलीफ नहीं देंगे। मैंने कहा।

"लो कर लो बात। बेट्टे, हमने कभी आपसे कहा कि हमें आपके रहने से कोई pain है। आपका घर है जब तक चाहे रहो। Stay Free." बटुक शर्मा ने अपने हाथों से अपनी जाँघों पर थपकिया देते हुए कहा। राहुल को अंग्रेजी पर फिर हँसी आ गई।

"जी अंकल।" अबकी दफा राहुल ने कहा।

बटुक शर्मा को इधर-उधर की बातें करता देख, मैंने ही काम की बात छेड़ दी–

"अंकल, पिछले दो-तीन दिनों से काफी परेशान नजर आ रहे हैं। कोई बड़ी समस्या है क्या?"

बटुक शर्मा दरअसल इसीलिए ऊपर आए थे। वो अपने मन की बात किसी से कहना चाह रहे थे लेकिन उन्हें कोई उपयुक्त आदमी मिल नहीं रहा था। मेरे पूछते ही वो फूट पड़े और कहने लगे–

"हाँ बेटे बड़ी तो है। इसीलिए तो कोई तगड़ा लिंग खोज रहा हूँ।"

"लिंग?" राहुल फिर सकते में आ गया। उसे सकते में आया देख बटुक शर्मा ने समझाया– "लिंग। लिंग मतलब जुगाड़। समझे?" बटुक शर्मा ने जो अर्थ समझाया वो अनर्थ ज्यादा था।

"जुगाड़!" राहुल अबकी कुर्सी से गिरने से बचा।

"राहुल, अंकल लिंक की बात कर रहे हैं।" मैंने बात का मतलब समझते हुए राहुल को समझाया।

"हाँ हाँ वही। तू मुझे पहले दिन से समझदार लगा था। जे तो अपणे बाप का पैसा गला रहा है!" बटुक शर्मा ने राहुल के बारे में कहा।

"और अब तो ससुर का भी।" मैंने धीरे से कहा।

"कुछ कहा बेटे?" बटुक शर्मा ने मेरी फुस्फुसाहट सुनते हुए कहा।

"नहीं अंकल बल्कि आप कुछ कह रहे थे।" मैंने बात बदल दी।

"हाँ बेटे। मैं बता रहा था कि मेरे साहब ने मुझसे खुन्नस खा रखी है और इसीलिए उसने मुझे सस्पेंड भी कर रखा है। अब रिटायर होने में तीन-चार साल बाकी हैं। ऐसे समय में कोरट-कचहरी का चक्कर लग जावे तो फिर बुढ़ापे में दिक्कत। फिर PF वगैरह के पैसे भी फँस जाँगे।" बटुक शर्मा ने परेशानी में सिर मलते हुए कहा।

"ओह हो! लेकिन अंकल हुआ क्या था?" मैंने पूछा।

"साहबों के मिजाज का कोई ठिकाना नहीं बेटे। कब क्या करने को कह दें। पहले बहुत किया है पर अब इस उम्र में इतना नहीं होता।" बटुक शर्मा ने पहेलीनुमा बात की।

"मतलब?"

"एक तो मेरे पास वैसे ही टेबल भर के काम पड़े हैं। ऊपर से साहब ने ब्लो जॉब्स की लिस्ट पकड़ा दी।"

"ब्लो जॉब!" राहुल सुनते ही कुर्सी से गिर पड़ा।

मैं उसे संभालने के बहाने उठा और उसकी आड़ में ही अपनी हँसी छुपाई। मैं समझ गया था कि बटुक शर्मा ने फिर किसी शब्द का मानमर्दन कर दिया है।

"हाँ बेटे! तुझे क्या लगता है तनख्वाह ऐसे ही उठाते हैं हम! पर अब नहीं होता बेटे! अब थक जाता हूँ। अब ये सारे काम नए लोगों को देने चाहिए।" बटुक शर्मा ने हमसे हामी की उम्मीद करते हुए कहा।

"हाँ अंकल! बिलकुल सही बात। फिर आपने क्या कहा?" मैंने पूछा। राहुल अपनी हँसी छुपाने के लिए पानी की बोतल मुँह में लगाए बैठा रहा।

"कहना क्या था! मना कर दिया। उन्होंने लिखित में ब्लो जॉब करने को कहा था। हमने लिखकर मना कर दिया। इसीलिए तो सस्पेंड कर दिया साहब ने।" बटुक शर्मा ने बेचारगी से कहा।

"ब्लो जॉब लिखित में?" राहुल ने फिर आँख चौड़ी की।

"हाँ! और क्या! मैं कोई झूठ कह रहा हूँ और तू इतना चिहुक क्यों रहा है! काम लिखित में नहीं देंगे तो कोई करेगा भला!" बटुक शर्मा ने कहा।

"अंकल! क्या वो कागज आपके पास है?" मैंने पूछा।

"हाँ बेटे! ये देख छाया परति। चार-चार करवा रखी है मैंने। तुझे पढ़ के सुनाता हूँ।" कहकर बटुक शर्मा ने चार भागों में मुड़े एक कागज को खोलकर पढ़ना शुरू किया।

"ये सुन। लिखा है-

काइंड अटेंशन

मिस्टर शर्मा,

इन एडिशन टू योर असाइण्ड वर्क यू आर हेअरबाई डायरेक्टेड टू डू ब्लो जॉब्स आल्सो।"

बटुक शर्मा के इतना पढ़ते ही मेरा माथा ठनका। मैंने बटुक शर्मा को बीच में ही टोकते हुए कहा- "अंकल! जरा मुझे यह कागज दिखाएँ।"

"हाँ-हाँ ले। देख ले। जो एक भी लाइन गलत कही हो तो!" बटुक शर्मा ने कागज बढ़ाते हुए कहा।

कागज हाथ में लेते ही मेरा शक यकीन में बदल गया। बटुक शर्मा पूरे अर्थ-का-अनर्थ कर चुके थे। मैंने अपनी हँसी दरकिनार करते हुए कहा-

"अंकल ये 'ब्लो जॉब्स' नहीं 'बिलो जॉब्स' है।" मेरे इतना कहते कहते ही राहुल के मुँह से फचाक की आवाज के साथ पानी बाहर आ गया। वह खाँसी का अभिनय करता जल्दी से कमरे से बाहर भाग गया। बटुक शर्मा ने उसे देखते हुए मुझसे कहा-

"हाँ-हाँ वही! मगर अब बता इस उमर में इतना प्रेशर देते हैं क्या? हमने ना कर दी तो कहते हैं कुछ दिन घर पर बैठो। इतने साल मेहनत से काम करने का यह बदला मिला है।"

"हाँ! अंकल गलत तो किया है उन्होंने; लेकिन हौसला रखिए सब ठीक हो जाएगा।" मैंने वही कहा जो बटुक शर्मा सुनना चाहते थे।

"कोई नहीं बेटे। बस तुझसे बात कर जी हल्का हो गया। ये बात किसी से कहियो नहीं। तू जानता है ना! मोहल्ले में बहुत इज्जत है तेरे अंकल की।" कहते हुए बटुक शर्मा, राहुल को घूरते हुए नीचे उतर गए।

***

बटुक शर्मा निलंबित थे और इसी कारण राहुल मिश्रा की प्रेम कहानी लंबित थी। तकदीर का रोना यह था कि बटुक शर्मा सर्दियों में सस्पेंड हुए थे

और सुबह-सुबह छत पर धूप लेने चले आते थे। दिन में सरपट गुजरती मेट्रो के डिब्बे गिनते थे और रात में नियॉन लाइट की रोशनी में बदलती दिल्ली को कोसते हुए पुरानी दिल्ली को अच्छा बताते थे।

दिन में जो वक्त परिधि के छत पर आने का होता था उसी वक्त बटुक शर्मा प्लास्टिक की कुर्सी और अपने सस्पेंशन की मातमपुर्सी लिए छत पर पहुँच जाते थे। मेरी सीडीएस की परीक्षा अगले हफ्ते थी इसलिए मैंने कॉलेज एक हफ्ते के लिए छोड़ दिया था। अब क्योंकि मैं कॉलेज नहीं जा रहा था तो राहुल के कॉलेज जाने का कोई सवाल ही नहीं था। वो मुझे जनरल अवेयरनेस के सवालों में मदद कर रहा था और यह काम हम अक्सर छत पर टहलते हुए ही करते थे। उस दिन भी राहुल मुझसे कुछ सवाल पूछ ही रहा था कि बटुक शर्मा ने अपना ज्ञान बिखेरा,

''तेल लगाना के बारे में तुम्हारे क्या विचार हैं?''

''जी?'' राहुल ने आश्चर्य से पूछा।

''अरे, ये ही तो लेटेस्ट है आजकल। इसके बारे में बता?'' बटुक शर्मा ने कहा।

''जी, लगाना चाहिए। तेल लगाना ही चाहिए और आजकल की सर्दियों में तो जरूरी भी है।'' राहुल ने बटुक शर्मा की बात को महत्व न देते हुए कह दिया।

''राहुल, अंकल तेलंगाना के बारे में पूछ रहे हैं।'' मैंने धीमे से ही मुस्कुराते हुए कहा।

''तू पढ़ जा बेटे। जे इसके चक्कर में पड़ा तो बर्बाद हो जावेगा। यहाँ देश की रेल लगी है और जे है कि तेल लगा रहा है।'' बटुक शर्मा ने अखबार खोलते हुए मुझसे कहा। यह बात सुनते ही राहुल हत्थे से उखड़ गया। राहुल और बटुक शर्मा के बीच ऐसी बातें रोजमर्रा की थीं। राहुल ने भी कभी इसे गंभीरता से नहीं लिया लेकिन आज वो खीझ उठा। वह कमरे में गया और वहीं से मुझे आवाज दी–

''झाड़ी जरा भीतर आ।'' जैसे ही मैं भीतर पहुँचा राहुल ने गुस्से से कहा–

''तुम साले दुभाषिया लगे हो बुढ़ौती के?''

''अबे, हमको लगा कि तुम समझ नहीं पाए और कहीं और तेल न

लगा दो इसलिए ट्रांस्लेट कर दिए। अब इसमें भी कुछ गलत है क्या ?'' मैंने हँसते हुए ही कहा।

''ट्रांस्लेट करते हो कि ह्यूमीलेट करते हो साले। तेलंगाना को कोई तेल लगाना कहता है क्या। ऊपर से तुम ट्रांस्लेट कर रहे हो ?'' तेल लगाना कहते-कहते राहुल को भी हँसी आ गई।

''चलो-चलो बाहर चलो। नहीं तो बूढ़ा समझेगा कि उसी के बारे में खुसर-फुसर हो रही है।'' मैंने कहा।

''समझ के मेरा निकिया लेगा! एक तो साला जबसे सस्पेंड हुआ है तबसे ग्रह किए हुए है!'' राहुल ने तैश में कहा।

''बूढ़ा रेंट के लिए भी टोक देगा। आज पाँच तारीख हो गई।'' मैंने याद करते हुए कहा।

''हम नहीं जाएँगे आज और टोकेगा तो बूढ़े को फेंक देंगे छत से नीचे। तरबूज बन जाएगा साला।'' राहुल सचमुच बहुत गुस्से में था।

''एक काम कर। अबकी बार पैसा लाने छोटू को भेज दे।'' मैंने कहा।

''हाँ, ठीक रहेगा। एक बार देख लेगा तो हमारा टंटा खत्म।'' राहुल ने कहा और किचेन की तरफ बढ़ा, जहाँ छोटू पहले ही तेजी से मटर के दाने छील रहा था।

''क्या बात है। बड़ी तेजी लगा रखी है तूने ?'' राहुल ने किचेन से चीनी के डब्बे में से चीनी खाते हुए कहा।

''हाँ भैया जी, आज इंडिया-पाकिस्तान मैच है ना।'' छोटू ने तेजी से मटर छीलते हुए कहा।

''देखनी है मैच ?'' राहुल ने पूछा।

''हाँ भैया जी।'' छोटू ने कहा।

''अच्छा, एक काम करियो। घर चला जा। रास्ते में पालिका बाजार में शिव इलेक्ट्रॉनिक्स वाले के पास मेरा एक कागज आया होगा, वो ले ले और कल लेता अइयो।'' राहुल ने फिर चीनी फाँकते हुए कहा।

''मतलब आज छुट्टी!'' छोटू ने खुशी से कहा।

''हाँ छुट्टी।'' राहुल ने फिर चीनी निकालते हुए कहा।

"और खाना भइया जी?" छोटू ने मटर छोड़ते हुए कहा।

"हम मैगी बना लेंगे!" राहुल ने कहा।

"ठीक है भैया जी।" कहते हुए छोटू ने हाथ धोए और इससे पहले कि राहुल का विचार बदल जाए वो निकल गया। उसके जाते ही राहुल ने किचेन से बाहर निकलकर कहा, "चलो एक काम तो हुआ। सुनो झाड़ी, अब तुम भी आगे की पढ़ाई बटुक के साथ करो और हम क्रिकेट के बहाने नीचे जाएँगे। बहुत दिन हुआ देखे हुए।" राहुल ने कहा।

"क्या क्रिकेट?" मैंने पूछा।

"नहीं बे, क्रिकेट कौन देखेगा। हमको तो केट विन्सलेट देखनी हैं अपनी। देखो, अभी कैसे बुढ़ौती को कत्था लगाते हैं।" राहुल ने आँख मारते हुए कहा और हम दोनों बाहर निकल गए। बाहर निकलते ही राहुल ने बटुक शर्मा से कहा—

"अंकल, मैं दूध लाने जा रहा हूँ आपके लिए भी कुछ लाऊँ क्या?"

"नीचे पूछता जईयो जे कुछ जरूरत हो तो। वैसे भीमपाल से दूध लिया कर। जे पैकेट के दूध से जवानी खराब हो जावेगी।" बटुक शर्मा ने हँसते हुए कहा। मुझे राहुल के दिमाग की दाद देनी पड़ी। उसने पहले ही यह सोच लिया था कि बटुक शर्मा ऐसी ही कुछ बात कहेंगे और वही हुआ।

लेकिन पहले से सोची सारी बातें हो ही जातीं तो इंसान, भगवान न हो जाता।

प्यार की सबसे खूबसूरत बात उसके साथ आने वाली परेशानियाँ हैं, अड़ंगे हैं, मुश्किलें, मुसीबतें हैं। सब परेशानियाँ कमोबेश एक होते हुए भी प्रेम कहानियों में अलग-अलग आती हैं और यही किसी भी कहानी को अलहदा अनुभव देती हैं। जितनी जल्दी राहुल को परिधि से मिलने की थी, उतनी ही व्यग्रता परिधि को भी रही होगी। इसलिए उसने अपनी तरफ से यह सोचा कि वह पापा को क्रिकेट के बहाने नीचे बुला लेगी। इसी बहाने खुद उसे छत पर जाने का थोड़ा समय तो मिल जाएगा। यही सोच कर उसने नीचे से ही छत की जानिब आवाज दी,

"पापा, क्रिकेट आने को है। इंडिया टॉस जीत गई।"

बटुक शर्मा ने जैसे ही यह सुना; वो उछल पड़े। उन्होंने खड़े होते हुए कहा—

''बेटे आज तो इंडिया-पाकिस्तान मैच है। मैं तो भूल ही गया था। चला चल। साथ में देखते हैं।''

''नहीं अंकल, मुझे पढ़ना है। आप देख लीजिए।'' मैंने जान छुड़ानी चाही।

''अरे दो-तीन घंटे की तो बात है। आजकल ये बीस ओवर वाले मैच बड़े अच्छे हो गए हैं। तू भी चल। सबेरे से पढ़ते-पढ़ते थक गया होगा।'' बटुक शर्मा ने कहा।

सच कहते हैं, बेकार आदमी के पास सबसे अधिक काम होता है। मैं उनके साथ चलने और राहुल की बदकिस्मती पर हाथ मलने के अलावा कुछ नहीं कर सकता था।

***

राहुल जब दूध लेकर बटुक शर्मा के घर में बेधड़क घुसा तो मुझे फिर हँसी आ गई। एक हाथ में पॉलीबैग और दूसरे हाथ में चिप्स लिए घुसते ही उसके चेहरे की रंगत उड़ गई। हमें चाय देने आई परिधि ने भी चेहरे के भावों से ही अपना सिर पीट लिया। राहुल अभी दोनों हाथों में सामान लिए खड़ा ही था कि बटुक शर्मा ने आवाज दी-

''अरे आजा आजा। तू भी बैठ। नहा के तो आया हैं ना?''

''सॉरी?'' राहुल ने अचरज से कहा ही था कि परिधि बीच में बोल पड़ी-

''Papa! Please stop your nonsense superstitions!'' परिधि ने बीच में ही कहा। ''ये पापा का टोटका है। उनके हिसाब से बिना नहाए क्रिकेट देखने पर इंडिया हार जाती है।'' परिधि ने बटुक शर्मा की गलती ढकने की कोशिश की।

''अंकल डोंट वरी। मैं नहाकर आया हूँ और ये तो अड्वान्स में कल से ही नहाकर बैठा है।'' राहुल ने छिछला मजाक किया; जिस पर बटुक शर्मा को तो क्या, मुझे भी हँसी नहीं आई। राहुल यह कहकर खाली पड़ी उस कुर्सी पर बैठने लगा जहाँ से किचेन में काम करती परिधि साफ दिखती।

''वहाँ नहीं, वहाँ 15 ओवर के बाद बैठना। अभी उस जगह बैठ।'' कहकर बटुक शर्मा ने राहुल को सोफा पर ठीक मेरे बगल में बैठने को कहा।

उधर परिधि इशारों में ही अपने पिता के हरकतों से आजिज हो रही थी। बटुक शर्मा को न कोई फर्क पड़ना था; न पड़ा। उनका बोलना जारी रहा।

''पाकिस्तान से कोई सिम्पैथी वगैरह तो नहीं है ?'' बटुक शर्मा ने फिर गोली दागी।

''नहीं अंकल, कुछ खास नहीं।'' राहुल ने कहा।

''वैसे ये सिम्पैथी रखने लायक हैं भी नहीं। जिया-उल-हक ने जितना बेड़ा गर्क किया उतना किसी और ने नहीं किया।'' बटुक शर्मा ने सोफा पर पसरते हुए कहा।

''लेकिन अंकल, मुझे लगता है इंजमाम-उल-हक ज्यादा बेहतर प्लेयर था। उसने ज्यादा बेड़ा गर्क किया।'' राहुल ने ज्ञान बघारा।

''जिया-उल-हक पाकिस्तान का रेसिडेंट था छोरे।'' बटुक शर्मा ने एक हास्यास्पद दृष्टि राहुल पर डालते हुए कहा। राहुल थोड़ा झेंप गया। उसने मेरी ओर मुँह किया और धीरे से कहा-

''झाड़ी! इंजमाम-उल-हक अफगानिस्तान से गिरा था क्या? वो पाकिस्तान का रेसिडेंट नहीं था?'' राहुल ने आश्चर्य से पूछा।

''बटुक रेसिडेंट की नहीं, प्रेसिडेंट की बात कर रहा है।'' मैंने बहुत धीमी आवाज में कहा। मेरे कहते ही राहुल हँसी और बेचारगी के बीच झूलता रहा। थोड़ी देर बार संयत होकर बोला-

''ये ससुर नहीं; असुर है झाड़ी।''

''चुपचाप क्रिकेट देखो।'' मैंने भी दबी जुबान से हँसी रोकते हुए जवाब दिया।

परिधि को क्रिकेट में रुचि नहीं थी। उसे राहुल में रुचि थी और वह राहुल की रुचि जानती थी। कॉफी और कुकीज। वह उसी की तैयारियों में लगी थी। हम दोनों चुपचाप बैठकर क्रिकेट देख रहे थे। ओपेनर्स क्रीज पर आ चुके थे और आते ही पाकिस्तानी ओपेनर ने एक अजीब शॉट खेला! जिसे देखते ही मेरे मुँह से निकला-

''इनोवटिव शॉट!''

बटुक शर्मा भी कहाँ मानने वाले थे। क्रिकेट के पुराने मरीज थे। उन्होंने झट से कहा,

''इनोवेशन तो गुंडप्पा विश्वनाथ ने किया था। गुंडप्पा विश्वनाथ का नाम

भी सुना है?'' उन्होंने गर्दन घुमाकर राहुल की ओर देखते हुए पूछा।

''जी अंकल, साइंटिस्ट थे।'' राहुल अबकी बार कोई गलती नहीं करना चाहता था। मेरे सिर पकड़ने से पहले ही बटुक शर्मा ने सिर पकड़ लिया–

''बेटे, गुंडप्पा विश्वनाथ और मोछगुंडम विशेश्वरैया में अंतर है। पढ़ाई–लिखाई भी सिलेबस में शामिल कर ले। तुझे तो कॉलेज जाते भी नहीं देखता।'' बटुक शर्मा ने कहा।

''वो क्या है न अंकल, मुझे घर पर ही इतना काम है कि मेरा टाइम तो होमवर्क करने में ही निकल जाता है।'' राहुल ने कॉफी रखने आई परिधि को देखते हुए कहा। परिधि ने राहुल को आँखों से ही झिड़की दी। उसकी बिल्लौरी आँखों के बढ़ते पारे को देखकर ही राहुल समझ गया कि अब उसे चुप हो जाना है और वह चुप हो गया। फिर भी राहुल का मन क्रिकेट में लग नहीं रहा था। उसने कॉफी खत्म की और अंततः मुझसे फुसफुसाते हुए कहा–

''बूढ़–मगज कुछ ज्यादा ही चुम्मा दे रहा है झाड़ी।''

''लेते रहो।'' मैंने हँसी दबाते हुए कहा।

''कुछ करो ना बे।'' राहुल ने आँखों से भीख माँगी। अक्सर जब राहुल के पास उपायों की कमी हो जाती तो वो मेरे आगे हथियार डाल देता था। मैंने भी इसकी मजबूरी समझते हुए बटुक शर्मा का ध्यान अपनी बातों से बटाने की कोशिश की।

''इसे पढ़ाई करने की क्या जरूरत हैं अंकल, ये तो वक्त काट रहा है यहाँ।'' मैंने कहा।

''हाँ, बाप कहीं खेत काट रया होगा। जे बखत काट रया है।'' बटुक शर्मा ने ठसक से जवाब दिया।

''नहीं अंकल, बस झारखंड में सरकार बनने की देर है। इसके पापा के दोस्त समद अली मिनिस्टर और इसके वारे न्यारे।'' मैंने सच्चाई में थोड़ा मसाला मिलाते हुए कहा।

''ऐसे–ऐसे बहुत देखे बेटा, हमारी उम्र निकल गई। पढ़ाई का कोई दूसरा उपाय नहीं है।''

''जी अंकल वो तो है ही।'' मैंने दाल गलती न देख दूसरा उपाय ढूँढ़ा। मैंने राहुल को देखते हुए कहा–

"भाई दूध फट जाएगा। ऐसा कर, ये ले चाभी और दूध तो उबाल ले।"

राहुल जैसे इसी मौके की तलाश में था। बेइज्जती बहुत हो चुकी थी। उसने चाभी ली और तेजी से छत की ओर चला गया।

थोड़ी ही देर में परिधि ने बाल बाँधे, कपड़ों से भरी बाल्टी उठाई और 'मम्मी, मैं कपड़े डालकर आई' कहते हुए छत की ओर चली गई।

**

वक्त बीत रहा था। बटुक शर्मा का निलंबन कुछ और बढ़ गया था। सो, उनकी परेशानी भी जाहिराना तौर पर और बढ़ गई थी। अखबारों में वक्त काटते हुए उन्हें इस बात की जानकारी भी मिली की झारखंड में सरकार बन चुकी है। डूबता इंसान तिनके में भी सहारा खोजने लगता है। ऐसे में उन्हें राहुल के पिता के संबंधों की याद आई होगी ऐसा मुझे लगता है। इसी कारण एक दिन उन्होंने छत पर यह बात छेड़ दी,

"अच्छा बेटे एक बात कहनी थी।"

"हाँ, अंकल कहिए ना।" मैंने हिन्दू न्यूज पेपर से आर्टिकल काटते हुए कहा।

"बेटे, वो मिनिस्टर समद अली तेरे गाम का ही है ना?" बटुक शर्मा ने कहा। दरअसल उनके कहने का अर्थ क्षेत्र के एम.पी. से था।

"गाँव के नहीं अंकल। हमारे एरिया से ही आते हैं।" मैंने कहा।

"और जे तू उस दिन बता रया था कि इसके पापा और जे नेता की जाण-पहचाण है।" बटुक शर्मा ने राहुल की तरफ इशारा करते हुए पहले कही बात याद दिलाई।

"सिर्फ जान-पहचान! दोनों बैग-पाइपर फ्रेंड हैं।" राहुल ने तैश में कहा।

"बस, फिर तो उससे कह के मेरी सस्पेंशन वापिस करवा दे बेटे। तेरी बड़ी मेहरबानी हो जावगी।" बटुक शर्मा ने लगभग गिड़गिड़ाते हुए कहा।

"अरे अंकल! ऐसा न कहें। राहुल जरूर अपने पापा से बात करेगा।" मैंने वही कहा जो मुझे उस वक्त सूझा।

"भाई, तू अंकल को वैसे ही कोई भरोसा मत दे दे। तू जानता नहीं समद को। बिना चालीसा पढ़वाए कोई फाइल नहीं हिलती उसके टेबल से। और ये तो वैसे भी सस्पेंशन का मामला है।" राहुल ने पतंग उड़ाते हुए कहा।

"तो पढ़ देंगे बेटा। हनुमान चालीसा क्या, महामृत्युंजय जाप भी करा देंगे; ऐसी क्या बात हुई। ये तो हमारा काम ही है।" काम बनता देख बटुक शर्मा पुलकित हो गए।

"अंकल आपने उसका नाम ठीक से नहीं सुना। समद अली। वो हनुमान चालीसा सुन के क्या करेंगे। हनुमान चालीसा का मतलब है–चालीस हजार रुपए।" मैंने बात साफ की।

"चालीस हजार! चालीस हजार रुपये भला हम लोगों के पास कहाँ से आएँगे बेटे जी!" बटुक शर्मा ने खींसे निपोर दीं।

"कुछ-न-कुछ तो करना पड़ेगा अंकल। वर्ना वो आदमी ऐसे नहीं मानेगा।" राहुल ने पतंग पर ध्यान लगाए हुए ही कहा।

"हाँ, जरा ध्यान से देख बेटे। कोई रास्ता निकल आवे। लोगबाग भी पूछने लगे हैं कि शर्मा क्या बात है, छुट्टी लंबी हो गई अबकी बार। तू तो जानता ही है कि कॉलोनी में कितनी इज्जत है तेरे अंकल की?" कहते हुए बटुक शर्मा नीचे उतर गए। उनके जाते ही राहुल ने पतंग की फिरकी मुझे देते हुए कहा–

"देखे ना, अभी भी ससुर के अकाउंट में 13 लाख रुपया पड़ा हुआ है और बूढ़ा 40 हजार रुपया के लिए दाँत चियार रहा है। जबकि बात नौकरी की है।"

"तो तुमको भी क्या जरूरत पड़ी थी बुढ़ौती को डराने की। अंकल के कहने पर समद तो वैसे भी कर देगा; फिर पैसे की बात करने की क्या जरूरत थी?" मैंने जैसे-तैसे पतंग संभालते हुए कहा।

"क्यों नहीं करें! ये साला एक भी पैसा रेंट का छोड़ा था! याद है ना कि क्या कहा था उस वक्त! ऊपर से साल भर का एडवांस चाहिए। हमको अब यकीन है ये साला पक्का किसी विजिलेन्स केस में सस्पेंड हुआ है।" राहुल ने तर्जनी दिखाते हुए कहा।

"छोड़ो ये सब, और काम कराओ ससुर का। उसके गुड-बुक में आने का यही मौका है।"

मैंने पतंग समेटना शुरू कर दिया था।

''हम कुछ और सोच रहे हैं झाड़ी।'' राहुल ने कहा।

''हम जानते थे। बिना कुछ सोचे तुम पैसे की बात कर ही नहीं सकता है। अब बको!'' मैंने कहा।

''बटुक एक्जामिनेशन डिपार्टमेन्ट में है। सही बात?'' राहुल ने कहा।

''सही बात।'' मैंने हामी भरी।

''और पैसा वो देगा नहीं। सही बात?'' राहुल ने फिर कहा।

''सही बात।'' मैंने फिर हामी भरी।

''तो पैसे के बदले अपनी यूनिवर्सिटी से एक डिप्लोमा दे दे।'' राहुल ने चमकती आँख से कहा।

''कितना फर्जीवाड़ा करेगा पंडित!'' मैंने सिर पकड़ते हुए कहा।

''फर्जी कहाँ से? जब वो उसी डिपार्टमेन्ट में है। एडमिशन से लेकर रिजल्ट तक में उसकी दखल है तो डिप्लोमा फर्जी कहाँ से हुआ? बैक डेट में एंट्री कर के डिप्लोमा दे दे।'' राहुल ने पूरी बात कही।

''कौन-सा डिप्लोमा?'' मैंने पूछा।

''हमको कौन-सा पता है! तुम बोलो।'' राहुल ने कहा।

''हमको नहीं चाहिए फर्जी डिप्लोमा। तुम अपना देख लो। वैसे भी मेरा सीडीएस का लास्ट एटेम्प्ट है। कहीं किसी फर्जीवाड़े में आ गए तो गई लाइफ।'' मैंने अपना पल्ला झाड़ा।

''डरते बहुत हो तुम झाड़ी और हमको भी डरा देते हो साले। ठीक है बात कर लेंगे पापा से। अब छोड़ो ये सब और शायरी सुनाओ।'' राहुल ने लेटते हुए कहा।

''तुम मुखातिब भी हो करीब भी हो
तुमको देखें कि तुमसे बात करें।''

मैंने कल ही पढ़ी हुई शायरी सुना दी।

''इसीलिए कहते हैं तुम पगलंठ हो। भाग जाएगी। पक्का भाग जाएगी। मतलब या तो देखोगे या फिर बात करोगे। तीसरा काम सिलेबस में है ही नहीं क्या?'' कहते हुए राहुल ने कान में ईयर फोन लगा लिया।

***

मित्र का 'मित्र' होना किस्मत की बात होती है मगर मित्र का मंत्री होना खुशकिस्मती की बात होती है। राहुल के पिता देवव्रत मिश्रा ऐसे ही खुशकिस्मत थे। समद अली बचपन के मित्र थे और अब मंत्री भी थे। मंत्री जी के सचिव के फोन से ही बटुक शर्मा के साहब की पेशाब रुक गई और वह तभी आई, जब बटुक शर्मा बाइज्जत ऑफिस आए। बटुक शर्मा खुश हुए और उसी शाम कॉर्नर वाली अग्रवाल स्वीट्स से डोडा बर्फी का पूरा डब्बा लिए हुए छत पर चढ़े। मैं छत पर रीजनिंग में सिर खपा रहा था। मुझे कमरे में आने का इशारा करते हुए मेरे लाख मना करने के बावजूद वो कमरे में घुस गए।

वह गलत समय पर आए थे। आज ही नई वेबसाइट Naughty America की खोज हुई थी और खोजकर्ता राहुल मिश्रा पहले ही वीडियो में खोए थे। लैपटॉप का चार्जर खराब होने के कारण डेस्क टॉप पर फिल्म देखी जा रही थी। डेस्कटॉप पर अमेरिका, नॉटी हुआ जा रहा था और डेस्कटॉप से लगे स्पीकर पर 'लेक्सी डाइनामाइट' हॉटी हुई जा रही थीं। कमरे की चिटकनी हालाँकि राहुल ने बंद की थी मगर फिर घर भी तो आखिर बटुक शर्मा का ही था। एक ही झटके से चिटकनी अपने स्क्रू सहित बाहर आ गई और बटुक शर्मा भीतर। राहुल मिश्रा को साँप सूँघ कर गया। मेन स्विच दूर था। वह वहाँ तक पहुँच नहीं सकते थे। घबराहट और जल्दबाजी में उन्होंने मॉनिटर का स्विच ऑफ कर दिया। राहुल मिश्रा को चैन आया कि बटुक शर्मा ने कुछ देखा नहीं। राहुल मिश्रा को अभी पूरी तरह चैन आ पाता तब तक स्पीकर से लेक्सी डाइनामाइट की मदभरी सिसकारियाँ आईं। राहुल मिश्रा को जब तक ख्याल आता कि बंद सिर्फ मॉनिटर हुआ है, कम्प्यूटर और स्पीकर चालू है तब तक लेक्सी डाइनामाइट खेल खत्म कर चुकी थी। बटुक शर्मा कमरे से निकल चुके थे। वह मुझे डोडा बर्फी की पैकेट थमाकर धीमे कदमों से नीचे उतर गए।

ओ रसिया, मन बसिया

ऐसा नहीं था कि राहुल ने कॉलेज पर नजरें नहीं गड़ाई थीं। बस यह था कि उसका कॉलेज में मन ही नहीं लगता था। परिधि का साथ होने की वजह से वह क्लास भी कम आता था। अगर वह क्लास आता भी तो अटेंडेंस लग जाने के बाद ऐसी हरकतें करता जिससे या तो प्रोफेसर उसे बाहर निकाल दें या फिर वो खुद ही अटेंडेंस के बाद बाहर चला जाए। उसकी इन हरकतों की वजह से मैंने उसके साथ बैठना तक बंद कर दिया था और जब मैं साथ नहीं होता तो उसका मन वैसे भी क्लास में नहीं लगता। वह कुछ बहाने बनाकर कमरे पर भाग जाता। इधर जिस वक्त बटुक शर्मा का निलंबन लंबा खींच गया; उस वक्त क्लास करना राहुल की मजबूरी बन गई थी। कमरे पर रुकने से अच्छा था कि वो क्लास में वक्त बिता लेता। परिधि से मिल पाना मुश्किल हो गया था। इसी भटकाव ने राहुल को क्लास आने पर मजबूर कर दिया था।

आज यूँ तो किसी तरह उसे अक्षरधाम पर परिधि से मिलना था; मगर मैं उसे जरूरी गेस्ट लेक्चर का हवाला देते हुए क्लास ले आया था। गेस्ट लेक्चर अटेंड करना सचमुच जरूरी था। ऐसी सूचना पहले ही दे दी गई थी। ऑर्गनाइजेशनल बिहेवियर की क्लास के लिए जिस गेस्ट लेक्चर को बुलाया गया था वो कोई 35 साल की खूबसूरत कंसल्टेंट थीं। बड़ी ही मोहक

मुस्कान के साथ उन्होंने अपना परिचय दिया और यह भी बताया कि यूँ तो उन्हें अटेंडेंस लेना वक्त की फिजूलखर्ची लगता है मगर फिर भी वो कॉलेज के नियमानुसार अटेंडेंस लेने को मजबूर हैं। क्लास की लड़कियों का रोल नंबर शुरुआत में था। क्लास में 15 लड़कियाँ थीं। लड़कियों में अंतिम रोल नंबर 15 था जो महिका का था। महिका रायजादा। पेड सीट या मैनेजमेंट कोटे से होने के कारण उसका एडमिशन आधे सेमेस्टर बीत जाने के बाद हुआ था; इसी कारण उसका रोल नंबर लड़कियों में सबसे आखिर में था। उसके बाद का पहला रोल नंबर यानी 16 मेरा था और 17 राहुल का था। ऑर्गनाइजेशनल बिहेवियर के रोल नंबर की पुकार शुरू हुई:

15– ''प्रेजेंट मैम।'' महिका ने कहा।

16– ''प्रेजेंट मैम।'' मैंने कहा।

17– ''आई लव यू मैम।'' राहुल की धीमे से आवाज आई। यह सुनकर पूरी क्लास हँस पड़ी। महिका की हँसी सबने कुछ देर तक सुनी। टीचर चूँकि ऑर्गनाइजेशनल बिहेवियर पढ़ाने आई थीं इसलिए उन्होंने भी बस मुस्कुराते हुए अटेंडेंस लेना जारी रखा।

अटेंडेंस खत्म होने के बाद जब उन्होंने पढ़ाने के लिए सिर उठाया तो देखा कि राहुल मेरे कान में फुसफुसाते हुए उनकी साड़ी का दाम लगा रहा है। मैं हालाँकि उनकी ओर देखते हुए यह जताने की कोशिश कर रहा था कि मैं बातें नहीं कर रहा; लेकिन फिर भी उन्होंने पूछ दिया–

''आप लोग क्या बातें कर रहे हैं ?''

''मैम, ये टंच की मीनिंग पूछ रहा है।'' राहुल ने खड़े होकर बड़ी ढिठाई से कहा। अबकी क्लास हँसना भूल कर सकते में आ गई। बस महिका की जबरन रुकती हुई हँसी सुनाई पड़ती रही।

''Can you please leave the class ?'' ऑर्गनाइजेशनल बिहेवियर की टीचर ने अब भी काफी शालीनता से कहा।

''बट मैम, मेरी बात तो सुनिए। मुझे तो टंच की मीनिंग पता है। इसे नहीं पता, बाहर तो इसे जाना चाहिए।'' राहुल ने मेरी तरफ इशारा करते हुए कहा। राहुल की इस बात पर अब मुझे भी हँसी आ गई मैंने आँख मलने के बहाने से अपना चेहरा छुपा लिया।

''Just leave the class.'' टीचर अबकी दफा अपना आपा खो

बैठी।

"OK Maam. ज्ञान का कोई मान ही नहीं है।" फुसफुसाते हुए राहुल धीमे से बाहर निकल गया। मैं समझ गया कि अटेंडेंस बन जाने के बाद उसे क्लासरूम काट रहा है। उसके बाहर जाते वक्त भी मैंने गौर किया कि महिका की नजरें दरवाजे तक उसका पीछा करती रहीं। राहुल ने भी आज इस बात को गौर किया और मेरे घर पहुँचते ही मुझसे पूछ पड़ा।

"झाड़ी, ये सारे क्लास की फीस रोल नंबर 15 ही भरी है क्या?"

"रोल नंबर 15 कौन बे?"

मैं जानते हुए भी अनजान रहा।

"अब नाम तो तुम बताओगे। तुम्हीं नॉर्थ पोल लगे हो उसके। सारे प्रोफेसर भी उसी को देखकर पढ़ाते हैं। अरे वही, कल जिसके साथ गोलगप्पा मुँह में ले रहे थे।" राहुल ने जल्दबाजी में कहा।

"महिका रायजादा?" मैंने पूछा।

"हाँ हाँ, वही। बताओ तो! दिल्ली में नाम से ही पैसा टपकता है। रायजादा, सिंघानिया, अंसल, अहलावत, खुराना। और हमारे यहाँ झा, मिश्रा, महतो, सिंह, राय, सिन्हा नाम से ही लगता है कि आदमी साला पैदा ही सरकारी नौकरी के लिए हुआ है।" राहुल ने कहा।

"देखना भी मत उसकी तरफ। बाप उसका हाईवे अथॉरिटीज में कोई बड़ा तोप है।" मैंने नसीहत दी।

"ना ना। तुम गलत समझ रहे हो झाड़ी। हमको बाप से कौन-सा टेंडर लेना है। बेटी लेटर दे दे वही बहुत है और अगर सिग्नल ठीक पकड़ रहा है तो अगले सेमेस्टर तक विकेट गिरा देंगे। तुमको क्या लगता है झाड़ी?" राहुल ने पूछा।

"और परिधि का क्या?" मैंने पूछा।

"वो तो मिनिस्टरी ऑफ होम अफेयर्स है ना झाड़ी। एक मिनिस्टरी ऑफ एक्सटर्नल अफेयर्स भी तो होता है!" राहुल ने हँसते हुए बेशर्मी से कहा।

"बुरे मरोगे एक दिन! जब नाश मनुज पर छाता है पहले विवेक मर जाता है।" मेरा सीधा-सा जवाब था।

"लेकिन झाड़ी, जब नाश मनुज पर छाता है तो मनुज को मरना चाहिए

ना! विवेक क्यों मर जाता है भाई?'' बुदबुदाते हुए राहुल ने करवट बदल ली।

***

सेकेंड सेमेस्टर की परीक्षा कल से शुरू होने वाली थी। परीक्षा के अंतिम क्षणों की घबराहट में मैं सबकुछ भूलता जा रहा था। पहले परीक्षा के वक्त राहुल साथ होता था तो एक संबल रहता था और हमदोनों साथ मिलकर ही पढ़ लेते थे; लेकिन परिधि के बाद से राहुल के पास पढ़ने के लिए वक्त नहीं था। परीक्षा के ठीक पहले वाले दिन भी वो परिधि के साथ बाहर ही था। मैं जैसे-तैसे अपना सिलेबस पूरा कर अब सोने की तैयारी कर रहा था कि राहुल कमरे में दाखिल हुआ।

''झाड़ी, कल कौन-सा पेपर है भाई'' राहुल ने कमरे में घुसते ही पूछा।

''पंडित, जब तुमको ये नहीं मालूम है कि कल पेपर कौन-सा है तो पेपर क्या दोगे बे?'' मैंने उसकी ओर देखकर जरा चिल्लाते हुए ही कहा।

''झाड़ी, राय नहीं पूछे हैं; उपाय पूछे हैं। उपाय बताओ।'' राहुल ने कहा।

''तो उपाय ये है कि चादर ओढ़ो और कल का पेपर छोड़ो।'' मैंने उकता कर कहा।

''ये तो भागना हुआ ना पंडित, अनुपम खेर पता नहीं किस फिल्म में कहते थे कि कोशिश करने वालों की हार नहीं होती।'' राहुल ने कहा।

''तो करो कोशिश। और सुबह से कहाँ गायब थे साले! दूध भी फट गया।'' मैंने गुस्साते हुए कहा।

''अरे बटुक की बेटी का एक्जाम था ना। होम साइंस का प्रैक्टिकल।'' राहुल ने खाना निकालते हुए कहा।

''तो?'' मैंने पूछा।

''तो भाई, उसको कुछ जरूरत पड़ जाता तो? और पड़ जाता क्या; पड़ गया ही था! गाजर का हलवा बना रही थी बेचारी। वहाँ भी दूध फट गया था। वो तो हम वहाँ पर थे। जल्दी से ले आए; नहीं तो फेल हो जाती।'' राहुल ने चिंता जताते हुए कहा।

“और तुम तो टॉप कर जाओगे कल मैनेजेरियल इकोनॉमिक्स में ?” मैंने अब मुद्दे की बात बताई।

“कल मैनेजेरियल इकोनॉमिक्स का पेपर है ?” राहुल के खाने का कौर मुँह में जाने से पहले ही रुक गया

“नाह, होम साइंस!” मैंने चुहल की।

“अबे झाड़ी, इम्पोर्टेंट क्वेश्चन बता दो बे। रात भर में रट लेंगे यार!” राहुल ने खाना छोड़कर उठते हुए मिन्नत की।

“सेमेस्टर भर तो पढ़ा नहीं। अब रात भर में पढ़ के क्या निकियाएगा ? चलो सोने दो हमको।” कहकर मैंने चादर तान ली।

“तुमसे पर्मीशन लेकर प्यार किए थे झाड़ी। क्या इसी दिन के लिए कि तुम मुँह घुमाकर सो जाओ ? उधर बटुक की बेटी भी होम साइंस में डॉक्टरी कर रही है। उसको भी टॉप करना है। पता नहीं दिल्ली में एक साथ कितना आदमी टॉप करता है। ठीक नहीं किया झाड़ी!”

राहुल का नाटक तब तक चालू रहा जब तक मैं सो नहीं गया। परीक्षा के पहले वाली रात घबराहट और व्यग्रता के कारण वैसे भी नींद नहीं आती। तमाम रात करवटें बदलने के बाद जब रात के लगभग तीन बजे मैं बाथरूम जाने के लिए उठा तो हक्का-बक्का रह गया। मैंने देखा कि लैंप की रोशनी में राहुल माइक्रोस्कोप से भी न देखे जा सकने वाली लिखावट में चिट बना रहा है।

“क्या कर रहा है बे ?” मैंने आँखें मींचते हुए पूछा।

“ये पास की आस है झाड़ी। जब दिल और दोस्त दोनों धोखा दे देते हैं ना तो दिमाग ही साथ देता है।” राहुल ने बिना सिर उठाए ही लिखते हुए कहा।

“मरोगे साले!” मैंने कहा और फिर सो गया।

सुबह ठीक पाँच बजे अलार्म की आवाज से जब मेरी नींद खुली तो मैंने देखा कि राहुल तब भी जागकर फर्रे बनाने में तल्लीन है।

“अभी पुराण खत्म नहीं हुआ तुम्हारा ?” मैंने जम्हाई लेते हुए कहा।

“बस भाई हो गया।” राहुल ने लिखते हुए ही कहा।

“फर्रेबाजी कर लोगे। पहले का कोई एक्स्पीरिएंस तो है नहीं ?” मैंने पूछा।

''हम क्या नहीं कर सकते हैं झाड़ी!'' राहुल ने पूरी तन्मयता से लिखते हुए ही कहा।

''हाँ, ये भी है। लेकिन धरा गए तो याद रखना, हम तुमको नहीं पहचानते हैं।'' मैंने पहले ही मसला साफ कर दिया।

''जानते हैं झाड़ी। वो तो उस दिन मूलचंद वाले ट्रैफिक पर ही क्लियर हो गया था जब तुम खाकी देख के हमको 200 मीटर दूर ही उतार दिए थे। बाद में पता चला कि वो भी साला ट्रैफिक वाला नहीं था। होमगार्ड का जवान था।'' राहुल ने अपना काम करते हुए कहा।

''हाँ तो आज भी कोई उम्मीद मत रखना।'' मैंने कहा और किताबें खोलकर बैठ गया।

***

परीक्षा ठीक आठ बजे शुरू होनी थी। मैनेजेरियल इकोनोमिक्स समझ से बाहर का विषय था। इसलिए रास्ते में दिखने वाले हर पत्थर, मूरत, डीह इत्यादि को प्रणाम करते हम दोनों कॉलेज पहुँचे। कॉलेज पहुँच कर मैं बाइक से उतरते ही अपने नोट्स लेकर उलटने-पलटने लगा। राहुल भी गाड़ी पार्किंग में लगाकर मेरे पास आ गया। ठंड के कारण अपने दोनों हाथों के बीच फूँक मारते हुए उसने कहा-

''अब तो इम्पोर्टेंट क्वेश्चन बता दो झाड़ी।''

''तुमको क्या बताना है। पूरा एम. वी. शुक्ला तो तुम्हारी जेब में है।'' मैंने मैंनेजेरियल इकोनोमिक्स की किताब के बारे में कहा।

''पूरा किताब नहीं लिखना है झाड़ी, नहीं तो तुमसे थोड़ी ना पूछते। पाँच तो बता दो।'' राहुल ने हाथ जोड़ते हुए कहा।

''चाटो मत!'' कहकर मैंने खुद को नोट्स में उलझा लिया।

''जाओ झाड़ी, ये ब्राम्हण तुमको शाप देता है कि तुम डिमांड एंड सप्लाई का ग्राफ भूल जाओगे!'' राहुल ने शाप देने की मुद्रा बनाकर कहा। परीक्षा से ठीक पहले कोई ऐसी बात कह दे तो आप कितने भी तैयार क्यों ना हों; आत्मविश्वास हिल ही जाता है।

''इस शाप से मुक्ति की कोई युक्ति महाराज।'' मैंने डिमांड एंड सप्लाई का ग्राफ पलटते हुए कहा।

"बस एक्जामिनर से उठकर कहना कि सर क्वेश्चन नंबर फलाना गलत है। तुम शाप मुक्त हो जाओगे।" राहुल ने कहा।

"साले! पूरा टाइम खा गए। चलो, क्लास में एंटर करने का बेल हो गया।" मैंने गुस्साते हुए कहा।

***

कमरे में घुसते ही राहुल अपना रोल नंबर ढूँढ़ कर बैठ गया और अपने पॉकेट से पुर्जे निकालकर डेस्क पर बहुत ही महीन लिखने लगा। क्लास के सारे लड़के-लड़कियाँ उसे अवाक् होकर देख रहे थे; मगर वो उन सबसे लापरवाह डेस्क पर लिखने में लगा रहा। उसे ऐसी अजीब हरकत करते देख जब मुझसे भी नहीं रहा गया तो मैंने कहा-

"क्या कर रहा है पंडित। सब हँस रहे हैं यार?"

"तो हँसने दे ना भाई। लास्ट मिनट टेंशन रीलिव हो जाएगा सबका और तू भी नोट्स देख ले। मुझे डिस्टर्ब मत कर।" राहुल ने सिर उठाए बगैर ही कहा।

राहुल की बात सही थी। मैं अपने रीविजन में लग गया। लगभग पाँच मिनट ही बीते होंगे कि राहुल फर्रे को डेस्क पर जहाँ भी जगह मिली; लिखकर फारिग हो गया। दोनों हाथों की पाँचों उँगलियों को फँसाकर चटकाया और एक लंबी अँगड़ाई ली।

राहुल को अनदेखा कर मैंने नोट्स पर नजरें गड़ाईं; मगर तब तक देर हो चुकी थी। टीचर आ चुके थे। कॉपी और सील्ड क्वेश्चन पेपर उन्होंने मेज पर रखा और अपनी घड़ी देखते हुए बोले-

"Please leave your books, notebooks etc outside the class."

उनके इतना कहते ही हम सब अपने-अपने नोट्स और बुक्स क्लास के बाहर रखने लगे। तभी राहुल उठा और उसने टीचर से कहा-

"सर, मेरे डेस्क पर कुछ-कुछ लिखा हुआ है। प्लीज मेरी डेस्क चेंज कर दीजिए।"

"जेन्टलमैन, डेस्क आपके रोल नंबर के मुताबिक लगाया गया है। वह चेंज नहीं किया जा सकता; वैसे भी साल भर आप लोग डेस्क ग्राफ्फिटी ही

तो करते हैं। जस्ट इग्नोर इट एंड सिट डाउन। और हाँ, अगर कोई नोट्स है तो पहले वह बाहर रख आइए।'' इनविजिलेटर ने कहा।

''नहीं सर। मेरे पास कुछ नहीं है।'' राहुल ने कहा।

"OK. Sit down then. I have to distribute the paper.'' इंविजिलेटर ने कहा।

''ओके सर।'' राहुल ने बैठते हुए मुझे आँख मारी। उसका काम हो गया था। वह जानता था कि टीचर डेस्क नहीं बदलेंगे। इस तरह डेस्क बदलने को कहकर वह इस बात से भी निश्चिंत हो गया कि अगर परीक्षा देते वक्त टीचर ने डेस्क पर लिखा देख लिया तो क्या होगा! मुझे उसके दिमाग का कायल होना पड़ा।

परीक्षा शुरू हो गई थी। मुझे आठ सवालों में से बमुश्किल सिर्फ चार ही आ रहे थे। मैंने यह सोचकर लिखना शुरू किया कि शायद चार सवाल करते-करते पाँचवा याद आ जाए। एग्जामिनेशन हॉल में मिनट की सुई सेकेंड की तरह चलने लगती है और इसका पता तब लगता है जब आप दूसरी बेल के लगते-लगते भी तीसरे सवाल में अटके हों। दूसरी बेल लगते ही कमरे में खलबली मच गई। मैं जल्दबाजी में तीसरा सवाल निपटा रहा था तभी राहुल की आवाज आई-

"Sir, can I attempt all eight questions ?"

राहुल की यह बात सुनकर टीचर समेत पूरी क्लास उसे देखने लगी। कुछ के हँसने की फुसफुसाती आवाज भी सुनाई दी। महिका जो उसके ठीक तिरछे बैठी थी; देर तक उसे देखती रह गई।

"No. You have to attempt only five out of eight.'' इनविजिलेटर ने प्रश्नपत्र देखते हुए कहा।

''लेकिन सर मेरे पास टाइम है और मुझे सब आता है। मैं सब बना देता हूँ आप कोई भी पाँच चेक कर लीजिएगा।'' राहुल जारी रहा।

''शटअप! या तो अपनी कॉपी जमा करके बाहर जाइए या फिर बैठकर आंसर्स रीवाइज कीजिए।'' टीचर ने डाँटते हुए कहा।

''बताइये तो, मेरिट की कोई क्रेडिट ही नहीं है।'' फुसफुसाते हुए राहुल अपनी सीट पर बैठ गया। उसने मेरी ओर देखते हुए फिर आँख मारी। मुझे पता था कि राहुल टीचर से भी मौज ले रहा है। लेकिन राहुल को देखते ही

मुझे मेरे पाँचवें सवाल का जवाब मिल गया। मैंने उठकर टीचर से कहा-

"Sir, I think question number 3 is wrong." इससे पहले कि टीचर कुछ कहता राहुल ने टाँग अड़ाई, "सारे क्वेश्चन सही हैं।"

"आपसे किसी ने पूछा?" टीचर ने गुस्साते हुए कहा।

"बट सर, मुझे सारे सवाल आते हैं।" राहुल ने फिर खिंचाई की।

"Shut up and don't disturb others." टीचर ने राहुल से कहा और फिर मुझसे मुखातिब हुआ, "मैं कंसर्न टीचर को कॉल कर लेता हूँ; वो आपका डाउट क्लियर कर देंगे।"

"ओके सर।" मैंने कहा और बैठ गया। मैं अभी लिखने के लिए कलम उठा ही रहा था कि राहुल की आवाज ने मेरा ध्यान उधर खींच लिया।

"Sir, may I go to toilet." राहुल ने कहा।

"आप पेपर देकर घर भी जा सकते हैं।" टीचर ने खीझते हुए कहा।

"नो सर। अभी रीविजन बाकी है।" राहुल ने कहा और टॉयलेट चला गया। टॉयलेट से आते समय उसने बस मेरी आँखों में देखा। मैं समझ गया था कि मेरे पाँचवें सवाल का जवाब राहुल टॉयलेट में छोड़ आया है। मैंने अगले दस मिनट में चौथा सवाल पूरा किया और टीचर से परमिशन लेकर टॉयलेट गया। राहुल ने टॉयलेट के फ्लश टैंक पर जमी धूल पर ही उँगलियों से डिमांड और सप्लाई कर्व के ग्राफ बनाकर उसे संकेतों में समझा भी दिया था। यह सवाल वैसे तो बहुत आसान था मगर परीक्षा के दबाव में आसान सवाल ही छूट जाते हैं। आखिरी सवाल को बुरी तरह जेहन में रखते और संकेतों को रटते हुए जैसे ही एग्जामिनेशन हॉल में दाखिल हुआ; मैं कुछ देखकर भौचक रह गया। मैंने देखा कि राहुल के ठीक पीछे बैठी महिका ने एक चिट या तो नीचे गिरा दी थी या लिखने के दौरान उससे गिर गई थी। कागज का वह टुकड़ा अब महिका से थोड़ी दूर और राहुल से थोड़ा नजदीक था। यह बिलकुल उसी जगह गिरा था जहाँ इनविजिलेटर चक्कर लगा रहे थे। पीछे मुड़ते ही टीचर की नजर उस कागज पर गई। टीचर ने पहले तो उस कागज को देखते हुए महिका की ओर देखा; लेकिन कागज राहुल से नजदीक थी इसलिए उसने राहुल से ही पूछा-

"What is this?"

राहुल कागज देखते ही सारी बात समझ गया। उसने एक पल को महिका

की ओर देखा और फिर कहा-

''देखने से तो कागज लगता है सर। बट आप पूछ रहे हैं तो दीजिए देखकर बताऊँ।'' राहुल की बात पर सभी हँस पड़े।

टीचर ने गुस्से से तमतमाते हुए कहा, ''शटअप! एक्जाम में चीटिंग करते हुए शर्म नहीं आती।''

''सॉरी सर। बट, शर्म तो बचपन में रंभा आंटी....!'' राहुल ने फिर कहानी शुरू कर दी थी।

''शट अप एंड गेट आउट!'' टीचर ने अबकी बार चिल्लाते हुए कहा। राहुल ने फिर से सॉरी कहा और आंसर शीट उनके टेबल पर रखकर बाहर निकल आया। मैंने बचे हुए समय में पाँचवा सवाल किया और फिर तीसरा घंटा लगने पर ही बाहर आया। बाहर आते ही मैंने राहुल को ढूँढ़ा जो अपने बाइक की सीट पर बैठा मेरा ही इंतजार कर रहा था। मैंने जाते ही उसकी पीठ पर धौल जमाते हुए कहा-

''गजब त्याग करते हो पंडित!''

''क्या हो गया भाई?'' राहुल ने जानते हुए भी कहा।

''तुम जानते नहीं हो क्या हुआ। कागज उसका था, महिका का।'' मैंने कहा।

''जानते हैं।'' राहुल ने कहा।

''जानते हैं मतलब? साले! अगर एक्जाम खत्म होने वाला नहीं होता न तो चाचा निकाल देता तुमको। पूरा सेमेस्टर वेस्ट हो जाता।'' मैंने कहा।

''वेस्ट नहीं; इन्वेस्ट किए हैं भाई। वो देखो चला आ रहा है मेरा इनवेस्टमेंट।'' राहुल ने महिका को आते देखकर कहा। महिका को आते देख मेरे चेहरे का गुस्सा और जाहिर हो गया। मैंने अपने दोनों हाथ पीछे बाँधे और महिका के ठीक उलट देखने लगा।

''Hi guyz!'' महिका ने आते ही कहा।

''Hello!'' राहुल ने कहा। हालांकि मैंने उसके ग्रीट का जवाब नहीं दिया।

''You are daring man. But cheating in exams are not good no. By the way I am Mahika.'' महिका ने अपना हाथ आगे बढ़ाते हुए कहा।

"हेलो महिका, आई एम राहुल। क्लासेज नहीं करता हूँ इसलिए तुम मेरा नाम नहीं जानती होगी और ये मुझसे जलता है इसलिए इसने तुम्हें मेरा नाम नहीं बताया होगा।" राहुल ने मेरी ओर इशारा करते हुए कहा।

"No, not like that. Infact I know you." महिका ने कहा।

"Great! तो फिर कॉफी पीने चलें?" राहुल ने सीधा कहा।

"Excuse me!" महिका ने चेहरे पर बिखरे बालों को कान के पीछे करते हुए आश्चर्य से कहा।

"Just kidding! Don't worry. मैं दिन में कॉफी नहीं पीता।" राहुल ने मामला बिगड़ता देखकर कहा।

"और मैं रात में कॉफी नहीं पीती।" महिका ने शोखी से कहा।

"फिर तो जम जाएगी अपनी।" राहुल ने महिका की आँखों में एकटक देखते हुए कहा।

"These exams are so exhausting na?" महिका ने राहुल को देखते हुए बात बदली।

"हाँ।" राहुल ने छोटी-सी हामी भरी।

"अच्छा हम सारे फ्रेंड्स एग्जाम्स के बाद एक छोटी-सी पार्टी कर रहे हैं। Why don't both of you join us?" महिका ने किसी छोटी बच्ची के से उत्साह से कहा।

"नहीं। मेरा तो टिकट है घर जाने का।" मैंने जान छुड़ाई।

"ओह! And you Rahul? तुम्हें भी कहीं जाना है?" महिका ने राहुल से पूछा।

"हाँ।" राहुल ने फौरन कहा।

"कहाँ?" महिका ने उदास आवाज में पूछा।

"जहाँ तुम ले चलो!" राहुल ने उसकी तर्जनी में अपनी तर्जनी फँसाते हुए कहा।

"दैट्स लाइक अ मैन! ओके, मैं हैंग आउट कन्फर्म होते ही तुझे बताती हूँ।" महिका ने राहुल से कहा।

"ओके! एंड 9810 तक तो मैं जानता हूँ आगे के नंबर भी पता कर लूँ या फिर...!" राहुल ने इरादतन कहा।

‘‘वेरी फनी!’’ महिका ने हँसते हुए कहा और राहुल को अपना मोबाइल नंबर लिखवा दिया।

‘‘बाय महिका।’’ महिका को न जाते देखकर मैंने ही कहा।

‘‘बाय।’’ बुझे मन से महिका ने कहा और राहुल को अँगूठे और छोटी उँगली के इशारे से फोन करने का इशारा करते हुए चली गई।

‘‘इनवेस्टमेंट ठीक है ना मेरा झाड़ी?’’ राहुल ने चलते हुए कहा।

‘‘गजब किस्मत पाए हो बेटा! बताओ, लड़कियाँ इशारा समझ के नंबर दे देती हैं तुमको। हमें तो साला कोई सरस्वती पूजा का चंदा न दे।’’ मैंने किस्मत को कोसा।

‘‘झाड़ी, इसी बात पर कोई तड़पता हुआ शायरी सुना दो यार।’’ राहुल ने कहा।

‘‘वो कत्ल भी करते हैं तो चर्चा नहीं होता।

हम आह भी भरते हैं तो हो जाते हैं बदनाम।’’

‘‘हाँ, तो अब गलत तरीके से आह-ऊह भरोगे तो बदनामी तो होगा ही। वैसे भी आह भरने का काम तुम्हारा थोड़े है। उसका है।’’ राहुल ने फिर हँसते हुए एक तीर से दो शिकार किए। मैं उसकी बात पर खीझकर हँसने के सिवा कुछ न कर सका।

सुना है तेरी महफिल में रतजगा है

परीक्षा खत्म हो गई थी। दिल्ली भी अब हमें अपनाने लगी थी। अब हमें मेट्रो, डीटीसी, छोले कुल्चे, राजमा चावल, जनपथ, लाजपतनगर, काके, करीम्स को अपना कहने में खुशी महसूस होती थी। इस शहर ने कभी हमें बाहर का एहसास नहीं कराया और अब हम भी इसे अपनाने लगे थे। शहर हमें अपनी जरूरत के हिसाब से ढाल रहा था और हम भी किसी बदलाव को लेकर सशंकित नहीं थे। परीक्षा के दिनों में ही राहुल की महिका से चैटिंग बढ़ गई थी। यह अक्सर सिलेबस से शुरू होकर रातों को आउट ऑफ सिलेबस हो जाती थीं। यह बातें मैं इसलिए भी जानता था क्योंकि परिधि को राहुल का मोबाइल चेक करने की आदत थी, इसलिए राहुल महिका से चैट और बातें मेरे मोबाइल से करता था। उस दिन महिका ने हैंग आउट का प्लान कन्फर्म करने के लिए कहा था; इसलिए राहुल उसके फोन का इंतजार ही कर रहा था-

''एक तो दिल्ली में इतना कस्टमर केयर का कॉल आता है ना कि मन करता है बटुक की बेटी और बाकियों की बेटी को लेकर हिमालय पर चले जाएँ। ये कॉल भी देखना वही होगा।'' कहते हुए राहुल ने मोबाइल का हरा बटन दबा दिया। अबकि बार मोबाइल स्पीकर पर नहीं था; इसलिए मैं केवल राहुल की बातें ही सुन पाया।

''हैलो!''

''हाँ कौन?''

''ज्योति!''

''कौन ज्योति। ज्योति शाह?''

''अच्छा, ज्योति झा।''

''जी। मेरी एक फ्रेंड का नाम भी ज्योति था; मुझे लगा वही।''

''क्या, क्रेडिट कार्ड? ज्योति अब तुम्हें क्या बताऊँ। पुरानी वाली ज्योति दो कार्ड टिकाकर चली गई। अब फोन भी नहीं उठाती। तुमने अपना नाम क्या बताया ज्योति झा। मतलब मैथिल हो?''

''ग्रेट। मैं भी मैथिल हूँ।''

''अच्छा तुम्हारी शादी हो गई?''

''नहीं, ग्रेट! मेरा मतलब है, मेरी भी नहीं हुई।''

''तुम्हारा कोई ब्वॉयफ्रेंड है?''

''ग्रेट! मेरा भी नहीं है।''

''नहीं नहीं। आजकल लड़कों के भी ब्वॉयफ्रेंड होते है!''

''हाँ हाँ दे दो। क्रेडिट कार्ड दे दो।''

''क्या, मेरा ऑक्यूपेशन। वो क्या होता है ज्योति?''

''अच्छा, ऑक्युपेशन मतलब, क्या करता हूँ। ऑटो चलाता हूँ।''

''क्या, ऑटो वालों को नहीं दोगी। क्यों नहीं दोगी। क्या हमारी भावनाएँ नहीं हैं? क्या हममें संभावनाएं नहीं हैं? हम प्यार नहीं कर सकते? क्या हम क्रेडिट कार्ड नहीं रख सकते? क्या हम इंसान नहीं हैं?'' राहुल के इतना कहते-कहते शायद फोन उधर से कट गया। मुझे राहुल की बात सुनकर हँसी आ गई।

''किससे कुंडली मिला रहा था पंडित?'' मैंने पूछा।

''बेचारी थी। क्रेडिट कार्ड दे रही थी। टारगेट पूरा नहीं हुआ होगा बेचारी का।'' राहुल ने फोन नंबर सेव करते हुए कहा।

''अबे, क्रेडिट कार्डवालियों को तो छोड़ दिया करो।'' मैंने अचरज से कहा।

''क्यों छोड़ दें? वो हमको छोड़ती है? पता नहीं कहाँ से नंबर निकाली,

ऑटो वाला सुनी तो फोन रख दी। बताओ तो यार! प्यार की कोई इज्जत ही नहीं है।'' राहुल ने एक साँस में कहा।

''महिका का फोन आया?'' मैंने पूछा।

''कहाँ आया बे! उसी चक्कर में तो बटुक की बेटी से भी झूठ बोले, और फोन भी नहीं आया।'' राहुल अभी थोड़ी देर तक चुप बैठा ही था कि मेरे फोन पर एक मैसेज आया। मैंने देखा तो मैसेज एक अंजान नंबर से था। लिखा था –

''Hi….itz me, Mahika. meet me in mehrauli @ 11 pm.'' मैंने राहुल को पढ़कर सुना दिया।

राहुल ने मैसेज पढ़ा और फिर कहा, ''लेकिन ये मैसेज अननोन नंबर से क्यों किया इसने?''

''फोन में बैलेंस नहीं होगा।'' मैंने राय दी।

''बाप इनके तोप हैं और मोबाइल में बैलेंस नहीं! जरूर दूसरी बात है। खैर, हमको क्या! तुम तो बस परमीशन दो झाड़ी।'' राहुल ने कहा।

''जाओ। वैसे भी 11 बजे रात को कोई मदद के लिए पुकारे तो ना नहीं कहना चाहिए। लेकिन जाएगा कैसे? तेरे पास पार्टी वियर है?'' मैंने जरूरी बात बताई।

''पार्टी वियर की क्या जरूरत?'' राहुल ने पूछा।

''अरे मित्र, रात को ग्यारह बजे नाइट क्लब जाओगे तो क्या ऐसे ही ऊँट की तरह जाओगे?''

''है ना फॉर्मल। व्हाइट शर्ट, ब्लैक पैन्ट; और कैसे पता कि नाइट क्लब जाना ही जाना है। होटल नाइट मून भी तो हो सकता है। फॉर्मल ही ठीक रहेगा।'' राहुल ने कहा।

''बनडमरू लगेगा वहाँ तुम!''

''जो भी लगें। एक रात के लिए कपड़ा तो नहीं खरीदेंगे। और वैसे भी क्या पता पार्टी के लिए नहीं बुलाई हो। शायद मेरी शादी का ख्याल दिल में आया हो। अपने पप्पा से पप्पी दिलवाना हो।'' राहुल ने अपने अंदाज में कहा।

''हाँ, फिर हनीमून पैकेज भी डिस्कस कर के आना।'' मैंने मजाक उड़ाते हुए कहा।

"बताओ तो! एडवांस प्लान करना क्या बुरा है भाई। लो देखो फिर मैसेज आ गया।" राहुल ने मोबाइल देखते हुए कहा।

"अब क्या?" मैंने पूछा।

"Address changed. Now come to Bhalotia Farm House. ये लड़की ठीक नहीं है झाड़ी। हम बता रहे हैं। पक्का फँसाएगी।" राहुल ने कहा।

"तो फँस जाओ। छेछड़ साले।" मैंने उसकी बात का मतलब समझते हुए कहा।

"अच्छा झाड़ी, मेरे पॉकेट में से पाँच सौ रुपया निकाले हो क्या?" राहुल ने अपनी जींस की पॉकेट चेक करते हुए कहा।

"सीधे सीधे कहो न भोसड़ी वाले कि पाँच सौ रुपया चाहिए। इल्जाम तो मत दो।" मैंने हँसते हुए राहुल की तरफ पाँच सौ रुपये का एक नोट बढ़ा दिया।

"नहीं बे कल था। आज नहीं है!" राहुल ने कहा।

"मोमोज में घुस गया होगा। मैडम तो जान देती हैं मोमोज पर।" मैंने परिधि के बारे में कहा।

"चल, निकलते हैं।" कहते हुए राहुल कमरे से बाहर निकल गया।

***

राहुल जब फार्म हाउस पहुँचा तो रात के लगभग बारह बज चुके थे। रास्ते की जानकारी के अभाव और ट्रैफिक के कारण वो लेट हो गया था। जैसे ही वो भालोटिया फार्म हाउस के पास पहुँचा, एक गार्ड ने उसे रोक दिया। उससे बिना कोई जिरह किए राहुल ने सीधे महिका को फोन लगाया।

"मुझे यहाँ से आके ले चल।" राहुल ने बिना हाय-हेलो के सीधे कहा।

"हुआ क्या?" महिका ने पूछा।

"अरे यहाँ तेरे जाड़िया भाई खड़े हैं। मुझसे नेम-नंबर पूछ रहे हैं। यार तू इलेक्ट्रिसिटी के बिल भी भरती है क्या?" राहुल ने चिढ़ाते हुए कहा।

"Oh shut up and just say.... Rivero." महिका ने राहुल को

बताया। राहुल ने वैसा ही उस गार्ड को बताया। गार्ड ने राहुल से माफी माँगी और उसे फार्म-हाउस से उल्टी तरफ थोड़ी दूर ले गया। वीराने में लगभग दस मिनट चलने के बाद उसे खंडहरनुमा ईंट भट्ठे के पास पहुँचते ही दूर से धीमे शोर और नियॉन लाइट की आती रोशनी दिखाई दी। राहुल को शक हुआ कि वो किसी नॉर्मल पार्टी में नहीं; बल्कि रेव पार्टी में है। पास आते ही उठते-गिरते नियॉन ग्लोव्स, चमकते-थिरकते एलइडी टी-शर्ट, लाइटअप ट्वायज के साथ रेव डीजे म्यूजिक से यह निश्चित हो गया था कि वो रेव पार्टी में ही है। अभी उसकी आँखें किसी को ढूँढ़ ही रही थीं कि एक आवाज ने उसका पीछा किया-

"Rivero! You are late!" आवाज लगाने वाली महिका ही थी।

"ओ तेरी। जहर लग रही है तू!" राहुल अबकी भाषायी सीमा लाँघ चुका था।

"और तू! ये क्या फॉर्मल पहनकर आ गया!" महिका ने राहुल को देखते हुए पूछा।

"अब मुझे कोई सपना आएगा कि तू पहले ही डेट पर सेट हो जाएगी। सीधा-साधा बंदा बनकर आया था; तेरे बाप को इंप्रेस करना होगा ये सोचकर।" राहुल ने कहा।

"अच्छा एक मिंट रुक।" कहकर महिका, राहुल के पास आकर उसके शर्ट का पहला बटन खोलने लगी।

"घणी बेसबर हो रही है। सबर कर ले।" राहुल ने बदमाशी से कहा।

"लुच्चापनी मत कर। आदमी बना रही हूँ तुझे।" कहकर उसने राहुल की टग की हुई शर्ट आधी बाहर खींच दी।

"बना दे। आज मुझे आदमी बना ही दे।" राहुल ने आँख बंद कर फिर शैतानी से कहा।

"चल। सपने मत देख। आँखें खोल ले। अब लग रहा है तू पार्टी एनिमल। अब चल भीतर।" महिका राहुल का हाथ थामे पार्टी में शामिल हो गई। थोड़ी देर महिका रेव धुनों पर थिरकती रही। राहुल उसके साथ ही इस अलहदा माहौल में खुद को सामान्य करने की कोशिश करने लगा।

"और बता! What's your poison tonight?" महिका ने ड्रिंक्स के बारे में पूछा।

“पैसे लगते हैं?” राहुल ने कहा।

“नहीं रे!” महिका ने प्यार से कहा।

“तो पूछना क्या, जो पिला दे।” राहुल ने बेलौस कहा।

“ये ले।” महिका ने वोदका का एक छोटा शॉट देते हुए कहा।

“ड्रिंक स्पाइक्ड तो नहीं है?” राहुल ने हँसते हुए पूछा।

“घबरा मत, तेरी इज्जत नहीं लूटनी।” महिका ने एक शॉट में ग्लास खाली करते हुए कहा।

“क्या पता, जब तू रेव कर सकती है तो रेप भी कर सकती है।” राहुल ने कहा।

“ड्रिंक मार, डील मत मार।” महिका ने आँखें चढ़ाते हुए कहा।

“कतई खतरनाक लग रही है अब तू। दिन में ही ठीक लग रही थी।” राहुल ने शॉट लगाते हुए कहा।

“अच्छा, एक बात बता। Do you have a girlfriend?”

“नहीं रे। पढ़ाई से वक्त ही नहीं मिलता।” कहते-कहते राहुल को भी हंसी आ गई।

“चल झूठा, मेको बीलिव नहीं तेरी बात का।” महिका ने शोखी से कहा।

“पेग लगाने के बाद इंसान झूठ नहीं बोलता।” राहुल ने कहा।

“पेग से इंसान झूठ ही बोलता है। ‘ऐडम’ ले, फिर सच बाहर निकलवाती हूँ तुझसे।” महिका ने ‘रेव स्टफ’ के बारे में कहा जो अक्सर नशे के लिए रेव पार्टियों में ली जाती है।

“नाह! तू ले।” राहुल ने ‘एडम’ समझे बगैर ही कहा।

“अच्छा, फर्स्ट टाइम है तो ‘किटी’ ले। You will feel like breeze.” महिका ने हाथों से लहर बनाते हुए कहा।

“सुन, दोनों ब्रीज फील करेंगे तो संभालेगा कौन? आज तू फील कर ले; अगली दफा मैं कर लूँगा।” राहुल ने रेव स्टफ को टालते हुए कहा।

“तू संभालेगा मुझे?” महिका ने राहुल की आँखों में देखते हुए कहा।

“क्यों शक है तुझे?” राहुल ने भी आँखों में देखते हुए कहा।

"हाँ, You all are same. Look at him. Red t-shirt. He is my Ex. वो भी संभालने की बात करता था। देख तो! आज किसी और को संभाल रहा है।" महिका राहुल पर गिरते हुए बोली।

"वो तो ललित है? रोल नंबर 34।" राहुल ने कहा।

"Hmm, He was my buddy." महिका ने कहा।

"तो जाने दे ना। वो किसी और को संभाल रहा है; तो तू भी तो किसी और पे गिर रही है। चिल मार।" राहुल ने लड़खड़ाती महिका को संभालते हुए कहा।

"सही बंदा है तू। टेंशन ही नहीं लेता।" कहते हुए महिका, 'एक्सटेसी' की पर्ल अपनी जुबान पर रखने ही वाली थी कि एक अलार्म ने सबको चौंका दिया। राहुल तब तक इसे म्यूजिक ही समझता रहा। जब तक उसने पार्टी में मौजूद लोगों को घबराकर भागते हुए नहीं देखा। अभी वो महिका से कुछ पूछता तब तक उसने महिका को दोनों हाथों से सिर पकड़ते हुए देखा।

"Shit man !!" महिका के मुँह से निकला।

"क्या हुआ?" राहुल ने चौंककर कहा।

"It's a raid! Narcotics raid! I am finished." महिका रुआंसी हो गई।

"Shit yaar!" राहुल ने भी माजरा समझते ही परेशान होकर कहा।

"Please man! Please do something!" महिका ने रोने के साथ-साथ पैर पटकते हुए कहा।

"देख, रोना बंद कर। अब जो होना है वो तो होना ही है। चुप मारकर खड़ी रह और जो तू चुप होगी; जभी मैं कुछ सोच पाऊँगा।" राहुल ने कहा।

राहुल के कहने पर भी उसका रोना कम न हुआ। राहुल मगर सोचता रहा। भीड़ अब भगदड़ का रूप ले चुकी थी। संख्या में चार या पाँच होने के कारण नारकोटिक्स के लोगों को भी दिक्कत आ रही थी। राहुल अगर अकेला होता तो उसे भागने में कोई दिक्कत नहीं थी। लेकिन उसे यहाँ से महिका को भी बाहर निकालना था। अचानक उसने देखा कि भागते लोगों को दबोचते नारकोटिक्स के लोगों ने सफेद शर्ट और काली पैंट पहनी हुई हैं। कुछ सोचते हुए उसने जल्दी ही अपनी शर्ट टग की। साथ-ही-साथ भागती

लड़कियों में से दो को अपने दाएँ हाथ से दबोचा और बाएँ हाथ से महिका को दबोचकर उनके बीच ही अपना सिर छुपाते हुए ऐसे निकला जैसे वो भी नारकोटिक्स का ही आदमी हो। लड़कियों की घबराहट ने राहुल का काम और आसान कर दिया। वह बाहर निकला और नारकोटिक्स की गाड़ी के पास खड़ा हो गया। पहली लड़की को गाड़ी में डालने के साथ ही उसने महिका से धीरे से कान में कहा –

"पर्ली तरफ भाग।"

महिका उसके हाथ से छूटते ही उसी ओर भागी।

"कित भाग री पी.टी. ऊषा! थम जा। जंगल है, शेर आ जावगा।" सबको यह समझते हुए छोड़कर कि वह उसके पीछे जा रहा है, राहुल भी उसके पीछे दौड़ा। बंद हो चुकी रोशनी और जंगल के अंधेरे के साथ-साथ किस्मत ने भी उनका साथ दिया।

***

जंगल में थोड़ी दूर जाने के बाद राहुल ने महिका को ग्लो रिंग से ढूँढ़ लिया; जिसकी चमक उसके उँगलियों में दिख रही थी। दूर से ही 'इट्स मी' कहकर राहुल ने सहमी हुई महिका को आश्वस्त किया। वह उसके पास जाकर निढाल होकर बैठा ही था कि महिका उससे लिपट गई। डर और दौड़ से दोनों की बढ़ी हुई धड़कनें एक-दूसरे को पीछे छोड़ने पर उतारू थीं। हाई हील के साथ दौड़ने पर महिका के पाँव में मोच भी थी। वह थोड़ी देर तक राहुल के कंधे पर सिर टिकाए जोर से रोती रही। राहुल ने भी उसे बिना टोके रो लेने दिया। जब वह रो चुकी तब संयत होकर दोनों हथेलियों के पिछले भाग से आँखें पोंछी और कहा-

"तुझे थैंक्स बोल सकती हूँ?"

"पैसे लगते हैं?" राहुल ने उसकी उँगलियो से ग्लो रिंग उतारते हुए कहा।

"नहीं रे।" महिका को रोते हुए भी हँसी आ गई।

"तो बोल ना, पूछना क्या!" राहुल ने उसके हाई हील खोलते हुए कहा।

"थैंक यू।" महिका ने मोच के दर्द से कराहते हुए कहा।

"जी हल्का हो गया?" राहुल ने उसकी एड़ियों को सहलाते हुए पूछा

"हाँ।" महिका ने भी हँसकर जवाब दिया।

"तुझे पता है, मैं इत्ती परेशान क्यों थी?" महिका ने फिर कहा।

"अब पुलिस में जमा होना कोई मिठाई बाँटने वाली बात तो है नहीं।" राहुल ने मोच की जगह पर धीमे से मालिश करते हुए कहा।

"मुझे पुलिस से कोई डर नहीं था। मुझे डर मीडिया का था।" महिका ने कहा।

"मतलब?" राहुल ने आश्चर्य से पूछा।

"तू जानता है मेरे डैडी कौन हैं?" महिका ने राहुल से पूछा और कुछ देर तक राहुल को भौंचक देखकर खुद ही जवाब दिया, "मेवाड़ी लाल रायजादा?"

"अच्छा अच्छा, वो देश भर के 'मेवाड़-प्रेम' वाले कुल्फियों के ठेले तेरे पापा के ही हैं?" राहुल ने चिढ़ाते हुए कहा।

"Shut up and listen. He is M.L. Raizada. Joint Secretory, Highways Authorities."

"मतलब जेनरल नॉलेज के क्वेश्चन वाले एम. एल. रायजादा?" राहुल ने बनावटी आश्चर्य जताते हुए कहा।

"यप! वही। अगर मैं आज पकड़ी जाती तो मीडिया, डैड के ट्रायल में लग जाती।" महिका ने कहा।

"मतलब मैंने तुझे बचा लिया। है ना?" राहुल ने दूर से ही उसकी एड़ी की मालिश करते हुए कहा।

"हाँ। तू बंदा अच्छा है वैसे। मगर है थोड़ा उल्लू। इत्ती दूर क्यों बैठा है? कम टू मी।" महिका ने बच्चों-सी शोखी से कहा।

"नाह। मुझे तेरी बातों पर कोई भरोसा नहीं और क्या पता ये तू नहीं बोल रही हो। ये तेरा ऐडम बोल रहा हो?" राहुल ने एक्स्टैसी पर्ल के बारे में कहा।

"अरे नहीं, देख तो वो तो हथेली में ही पिघल गई।" महिका ने हथेलियाँ आगे कर दीं।

"फिर ठीक है।" राहुल ने झूठमूठ ही हथेली देखते हुए कहा।

“अच्छा! Have they caught Lalit?” महिका ने ललित के बारे में पूछा।

“पता नहीं। पहले कहती तो लड़कियों की जगह उसे ही गर्दन से पकड़ लेता।” राहुल ने मुसकुराते हुए कहा। जवाब में महिका बस मुस्कुरा दी।

“एक बात कहूँ?” महिका राहुल के पास आती हुई बोली।

“बोल।” राहुल ने भी उसका सिर अपने कंधे पर रखते हुए कहा।

“तुझे प्यार कर सकती हूँ?” महिका ने कहा।

“पैसे लगते हैं?” राहुल ने भी शैतानी से पूछा।

“नहीं रे।” महिका ने छोटी बच्ची की तरह सिर हिलाया।

“तो कर ना। पूछना क्या!” राहुल ने नियॉन रिंग को मुट्ठियों में भींचते हुए कहा।

पेड़ों के सूखे पत्ते कुछ देर शोर मचाकर चुप हो चुके थे। जुगनुओं और झींगुरों के अलावा वो सबसे छुप चुके थे। खो चुके थे।

अगले दिन राहुल लगभग आठ बजे सुबह लौटा। आज मैं कुछ सबेरे ही उठ गया था। दरवाजा खोला तो राहुल निढाल-सा दिखा। भीतर घुसते ही उसने शर्ट उतारी और मुझसे कहा-

“आज कॉलेज नहीं जाएँगे झाड़ी, नींद आ रही है।”

“कहाँ थे रात भर बे?” मैंने पूछा।

“प्रधान जी के दलान में। थ्रेशर चला रहे थे।” राहुल ने शर्ट उतारकर फेंकते हुए कहा।

“थ्रेशर रात भर चला क्या?” मैंने पूछा।

“नाह, पाँच सौ रुपया के डीजल में कितना चलेगा?” राहुल ने जूते खोलने की कोशिश की जो नहीं खुले।

“तुम्हारी हालत देखकर शेर याद आ रहा है पंडित।” मैंने ब्रश में पेस्ट लगाते हुए कहा।

“जब याद आ ही गया तो सुना ही दो।” राहुल ने अनमने से कहा।

“रात भर खेल निगाहों ने अजब से खेले
रात भर मुझको मेरे यार ने सोने न दिया।” मैंने ब्रश करते हुए ही

कहा।

"उसका यार टारजन होगा झाड़ी, यहाँ तो एक घंटे में ही दूध-छुआरा की जरूरत लग रही है।" राहुल बुदबुदाया।

"अच्छा सुन, जीडी का कॉल लेटर आ गया है। उसके बाद हम घर जाएँगे। हफ्ते भर बाद आएँगे।" मैंने ब्रश करते हुए ही अस्पष्ट आवाज में कहा।

"बन जाओ लॉर्ड गवर्नर।" कहते हुए राहुल ने करवट बदली और सो गया।

***

पूरे तीसरे सेमेस्टर में राहुल और महिका साथ देखे जाते। क्लास में साथ बैठने से लेकर मेट्रो में घर जाने तक दोनों देश दुनिया से अंजान बने रहते। मैं बस उनके साथ-साथ थोड़ी दूरी बनाकर वक्त काटता रहता था। वक्त गुजरता ही जा रहा था। मेरे रिटेन एग्जाम के रिजल्ट भी आने वाले थे। परीक्षा तो हर बार की तरह अच्छी ही हुई थी मगर रिजल्ट आने का विश्वास अबकी बार पहले से ज्यादा था। ऐसे ही एक दिन मैं राहुल और महिका क्लास खत्म कर मेट्रो से लौट रहे थे। हम लेडीज बोगी के ठीक बाद वाली बोगी में चढ़े थे। चढ़ते ही राहुल और महिका ने अपने पसंदीदा स्पॉट यानी वेस्टीब्यूल्स पर पहुँच गए। सीट हालाँकि खाली ही थी; लेकिन उन दोनों की पसंदीदा जगह वही थी। इतनी खैरियत थी की दोनों लेडीज बोगी से ठीक लगे वेस्टीब्यूल्स पर नहीं; बल्कि दूसरी छोर वाले वेस्टीब्यूल्स पर थे। अभी मैं उन्हें देखकर सीट पर बैठने ही वाला था कि मैंने परिधि को लेडीज बोगी में लगभग दौड़कर चढ़ते हुए देखा। हाथ में ग्रौसरी का कुछ सामान लिए शायद वह पास के ही बिग बाजार से आ रही थी। दरवाजा बंद होने को ही था कि परिधि लेडीज बोगी में चढ़ गई ओर पोल के सहारे पीठ टिकाकर खड़ी हो गई। मेरे हाथ-पाँव फूल गए। जहाँ वह खड़ी थी वहाँ से अगर वह पीछे घूम जाती तो राहुल उसे महिका के साथ सीधा ही दिख जाता। कान में लगे ईयर फोन की धुनों पर थिरकन की वजह से या फिर मेट्रो के हिलने के कारण, मुझे ऐसा डर लगा हुआ था कि परिधि अब पीछे मुड़ जाएगी। मुझे कुछ समझ नहीं आया। मैं जल्दबाजी में लेडीज बोगी से लगे वेस्टीब्यूल्स पर

ही खड़ा हो गया। ताकि वहाँ से अगर परिधि मुड़े भी तो उसे राहुल न दिखे। पहले तो मैंने लेडीज बोगी की तरफ ही चेहरा किया हुआ था; लेकिन जब उधर से कुछ आंटियों के नाक-भौं सिकोड़ते चेहरे दिखे तो मैंने वापस चेहरा राहुल और महिका की ओर ही घुमा लिया। दोनों एक-दूसरे में ही मशगूल थे। महिका का स्टॉप आ गया था। वो धीरे से बाय कहते हुए मेट्रो से बाहर निकल गई। राहुल अब बढ़कर मेरे तरफ आया। मैंने पहले आँखों से ही उसे सीट पर बैठने का इशारा किया। ऐसी स्थिति में राहुल बिना कोई बहस किए मेरे बात मान लेता था। मेरे इशारे के ढंग से उसे भी लग गया की जरूर कोई बात है। वह चुपचाप खाली सीट पर बैठ गया। उसके बैठते ही मैं भी उसके पास वाली सीट पर बैठा और उबलते हुए कहा –

''तुमको साले न डर लगता है न शर्म।''

''डर का तो ऐसा है झाड़ी कि वो तो घर के साथ ही छूट गया और शर्म तो रंभा आंटी निकलवा दी थी बचपन में।'' राहुल ने हाथ मलते फिर कहानी दुहराई।

''बकवास मत करो। मेट्रो वेस्टीब्यूल्स पर क्या कर रहे थे साले ?'' मैंने सामने देखते हुए ही पूछा।

''प्यार कर रहे थे झाड़ी। मेरे होंठों के भँवरे उसके होंठों के फूल खिला रहे थे।'' राहुल ने फिर किसी उपन्यास से लाइन उधार ले ली।

''बासी नॉवेल वाला डायलॉग मत मारो और वो कुछ बोली भी नहीं!'' मैंने फिर कहा।

''बोली ना, फौरन बोली।'' राहुल ने जवाब दिया।

''क्या बोली ?'' मैंने पूछा।

''बोली कि this is not good.'' राहुल ने कहा।

''ठीक बोली! फिर ?'' मैंने पूछा।

''फिर हम बोले, Sorry! Let me try the good one.'' राहुल ने फिर मुस्कुराते हुए कहा।

''कमीने हो तुम।'' मुझे हँसी आ गई थी।

''हाँ ना, यही बात वो भी कही कमीना है तू। मतलब हम हैं। जब दो आदमी एक ही बात कहे तो मानना चाहिए।'' राहुल ने कहा।

''कमीनापंथी घुस जाता आज तुम्हारा! पता है, लेडीज बोगी में कौन

है?'' मैंने कहा।

''पापा तो लेडीज बोगी में होंगे नहीं और अपने बाप के अलावा किसी के बाप से डरते नहीं हैं हम।'' राहुल ने लेडीज बोगी की ओर झाँकते हुए कहा।

''झाँको मत साले, रेल दिए जाओगे! परिधि खड़ी है ठीक सामने।'' मैंने राहुल को खींचते हुए कहा।

''क्या!'' राहुल पलभर के लिए हक्का-बक्का हो गया!

''हाँ।'' मैंने कहा।

''वो यहाँ कैसे?'' राहुल ने पूछा।

''हम क्या जानें। बस ये जान लो कि अब एक स्टेशन आगे उतरेंगे।'' मैंने कहा।

''क्यों?'' राहुल ने पूछा।

''क्यों मतलब! साले अगर उसको शक हुआ भी होगा तो उतरते देख कर यकीन हो जाएगा।

उसको उतर जाने दो। हमलोग अगले मेट्रो से फिर यहीं रिटर्न हो लेंगे।'' मैंने कहा।

''ठीक है झाड़ी, जैसा तुम कहो। वैसे मेरा तो मन था कि यहीं वेस्टीब्यूल पर...!'' कहते कहते राहुल रुक गया।

''हरमजदगी मत करो।'' मैंने गुस्से से कहा।

''अरे! वेस्टीब्यूल सही जगह है झाड़ी। दिल्ली मेट्रो- आपकी सेवा में। बढ़िया सेवा देगी। बस खड़े रहना है। बाकी काम मेट्रो कर देगा।'' राहुल ने बेलौस कहा।

''चलो साले, उसी वेस्टीब्यूल में मुँह छुपाओ। परिधि उतरेगी अभी। देख ली तो मुँह छुपाने लायक ही बना देगी।'' मैंने जल्दी से वेस्टीब्यूल की ओर बढ़ते हुए कहा। मैंने देखा कि परिधि उतरी और सीधी एस्केलेटेर्स की ओर बढ़ गई।

''बच गए।'' राहुल ने परिधि को जाते देखकर कहा।

***

राहुल आज फिर महिका के साथ निकला हुआ था। दरअसल महिका का सबेरे फोन आया था और दोनों में कोई तीखी बहस भी हुई थी। उसके बाद राहुल लगभग बारह बजे घर से निकल गया था। अमूमन बाहर जाते वक्त वह मुझे बता कर ही जाता था; लेकिन आज शायद मूड खराब होने के कारण उसने मुझसे कुछ भी नहीं कहा और निकल गया।

लगभग दो बजे मैं कूकर से चावल निकालकर प्लेट में डाल ही रहा था कि दरवाजे की घंटी बजी। मैं चावल उसी तरह छोड़ कर उठा और दरवाजा खोला। सामने परिधि थी। उसके गीले जूड़े और तांबे के पात्र से मुझे लगा कि वो तुलसी के पौधे में पानी देने के बहाने ऊपर आई थी।

''मोहित, राहुल कहाँ है?'' उसने बुझे मन से धीमे से पूछा।

''पता नहीं! बताकर नहीं गया। क्यों क्या हुआ?'' मैंने जानबूझ कर पूछा।

''ही इज अवॉयडिंग मी नाउ!'' परिधि ने आँखें नीचे किए हुए कहा।

''ऐसा नहीं है। तुम्हें क्यों लगा ऐसा?'' मैंने पूछा।

''देखो ना, आज मूवी का कहा था और कहाँ गायब हो गया!'' परिधि ने उदास आवाज में कहा।

''अरे, उसके पापा वैष्णो देवी होते हुए लौट रहे हैं; उन्हीं से मिलने स्टेशन गया है। हाँ, याद आया। कल मुझसे कह रहा था कि तुमसे मिलना था उसे आज।'' मैंने समझाते हुए कहा।

''लेकिन अभी तो तूने कहा कि तुझे बता कर नहीं गया।'' परिधि ने झूठ पकड़ लिया था।

''कहने का मतलब कि कल ही बताया था तुझसे मिलने का और पापा के आने का। आज बताकर नहीं निकला।'' मैंने जैसे-तैसे बात संभाली।

''और तेरा इंटरव्यू कब है?'' परिधि ने अनमने से पूछा।

''अगले महीने।'' मैंने कहा।

''ठीक है। राहुल तुझसे मेरे बारे में कुछ बातें करता है?'' परिधि ने पूछा।

''ले, बस तेरे बारे में ही तो बातें करता है। दिमाग पका देता है।'' मैंने कहा।

"झूठा! रब ने बनाई जोड़ी। एक को सच बोलना नहीं आता; दूसरे को झूठ बोलना नहीं आता।" कहते हुए परिधि बुझे मन से नीचे उतर गई।

***

एमबीए का तीसरा सेमेस्टर बीतने को था। कैंपस और प्लेसमेंट जैसे शब्द कॉलेज की फिजाओं में तैरने लगे थे। कैंपस आने के कोई चांस अगर थे भी, तो हमारी प्लेसमेंट का कोई चांस नहीं था। मेरी पहली चॉइस वैसे भी सीडीएस ही थी तो मुझे वैसे भी कोई ज्यादा उम्मीद एमबीए से नहीं थी। राहुल से तो उम्मीद ही बेमानी थी। परिधि अपने होम साइंस के हेल्थ एंड हाइजीन के दो हफ्तों के टूर पर हरियाणा के किसी गाँव गई थी और इन दिनों एक अजीब बात यह भी हुई थी कि महिका का फोन आना लगभग बंद हो गया था। चैट पर भी राहुल को व्यस्त मैंने नहीं देखा था। चूँकि यह बात मुझे उतनी गंभीर नहीं लगी; इसलिए मैंने कभी राहुल से पूछा नहीं था। मगर कुछ था जो ठीक नहीं चल रहा था और राहुल यह जान रहा था। लैपटॉप के काले स्क्रीन पर री-बूट करते कुछ न समझ आने वाले सफेद डिजिट्स को पढ़ने और उनपर बिजली की तेज गति से उँगलिया चलाने के अलावा आजकल वो कुछ भी नहीं करता था। छोटू जब चाय लेकर आया तब भी राहुल अपने लैपटॉप की स्क्रीन पर चमकते उन्हीं सफेद अक्षरों में खोया हुआ था। राहुल छोटू के कान में इयरफोन देखते ही समझ गया कि आज जरूर क्रिकेट मैच है। उसने फौरन छोटू से पूछा,

"ऐ टोनी ग्रेग, आज इंडिया की टीम में कोई चेंज है?"

"आज तो मैच ही नहीं हो पाएगी भैया जी।" छोटू ने भी टोनी ग्रेग वाले आत्मविश्वास से चाय देते हुए कहा।

"क्यों। रिकी पोंटिंग का पेट खराब है क्या?" राहुल ने कहा।

"नहीं भैया जी, मैच कोच्चि में है।" छोटू ने जवाब दिया। "अक्टूबर में कोच्चि में कोई मैच कराता है क्या?" छोटू ने मुझे चाय देते हुए जवाब दिया।

"जितनी अच्छी तू बात बनाता है न; उतनी अच्छी कभी चाय भी बना दिया कर मेरे रमीज राजा!" राहुल ने भरी चाय लौटाते हुए बुरा-सा मुँह बनाया। छोटू ने कप लिया और बाहर चला गया। छोटू के बाहर जाते ही मैंने

राहुल से कहा,

''परसों घर जा रहे हैं पंडित।''

''ठेकुआ और गुझिया लिए बिना मत आना।'' राहुल ने स्क्रीन पर से नजर हटाए बगैर कहा।

''अंकल पूछें तो क्या-क्या कहेंगे?'' मैंने राहुल से ही पूछा।

''कह देना, नौकरी ढूँढ़ने लगा है। भगवान मिलकर रहेंगे।'' राहुल ने कहा।

''यू मीन सरकारी?'' मैंने अचरज से पूछा।

''हाँ।'' राहुल ने कहा।

''भाई ये php, SQL, dotNET पर जो थीसिस छील रहे हो उसका एमबीए से क्या रिलेशन है; बताओगे?'' मैंने बैठते हुए पूछा।

''एमबीए से नहीं है; नौकरी से है। तुम लोड न लो। बाबू जी से कह देना बेटा एकदम टनाटन है।'' राहुल ने कहा।

''कर क्या रहे हो वैसे?'' मैंने पूछा।

''Phising कहते हैं इसको। समझते हो कुछ!'' राहुल ने लैपटाप पर नजरें गड़ाए ही पूछा।

''नाह। कम्प्यूटर पर बैठकर मछली तुम्हीं मार सकते हो। मारो।'' मैंने कहा और किताबों में घुस गया।

''हाँ झाड़ी, मछली ही तो ढूँढ़ रहे हैं।'' राहुल ने अभी इतना ही कहा था कि उसके मोबाइल की घंटी घनघना उठी।

''ल्यो बेटा, मिल गई मछली। इसी पर ट्राय करते हैं।'' कहते हुए राहुल ने फोन रिसीव कर लिया।

''पंडित प्लीज, स्पीकर पर मत करना। हम पढ़ रहे हैं।'' मैंने कहा। लेकिन राहुल ने न पहले मेरे सुनी थी, न अब उसे मेरे सुननी थी। उसने मोबाइल स्पीकर मोड पर कर ही दिया। फोन महिका का था।

''ओए! तीन दिन हो गए; ऑनलाइन क्यों नहीं आई तू?'' राहुल ने बिना हाय-हेलो के सीधा ही कहा।

''मेरा सेल बाथरूम में गिर गया था। स्क्रीन डेड हो गई। अब दूसरा लूँगी।'' दूसरी ओर से महिका ने कहा।

"तो अभी ?" राहुल ने पूछा।

"लैपी से ऑनलाइन हूँ।" महिका का जवाब आया।

"तभी मैं कहूँ। बाथरूम में फोन के साथ वैसे कर क्या रही थी तू ?" राहुल ने उसे छेड़ा।

"अच्छा, पन इंटेंडेड। मिल तू। फिर बताती हूँ। ज्यादा बात नहीं कर सकती। पापा को ऑफिस के लिए निकलना है।" महिका ने कहा।

"आज के दिन भी बात नहीं कर सकती ?" राहुल ने बेचारगी से कहा।

"क्यों। आज क्या स्पेशल है ?" उसने पूछा।

"छोड़। रहने दे। दिल तोड़ दिया तूने।" राहुल ने कहा।

"टेल मी ना, जल्दी !" उसने बेसब्री से कहा।

"कुछ नहीं ! बस एक ई-कार्ड भेजा है उसे देख ले।" राहुल ने कहा।

"बस, इसलिए इतने बतोले कर रहा था। खुल नहीं रहा। क्या हैं इसमें। Zip फाइल है। देख, एक तो ये डिकेड पुराने कार्ड वाला तरीका मुझे पसंद ही नहीं।" महिका की आवाज में ऊब-सी थी।

"देख तो सही।" राहुल ने कहा

"ओ माय गॉड ! आज तेरा बड्डे है और तूने बताया भी नहीं !" महिका ने एक साँस में इतनी सारी बातें की।

"तू बस कर। दिल तोड़ दिया तूने।" राहुल की नौटंकी जारी रही।

"कोई ना, आज मिल के तेरा दिल जोड़ती हूँ। कहाँ मिलेगा बता ?" महिका ने कहा।

"क्लास के बाद सिगड़ी चलें ?" राहुल ने कहा।

"सिगड़ी ! फैमिली रेस्टोरेंट है। कहीं और चल ना।" महिका ने कहा।

"तो अंगीठी चल।" राहुल ने किसी रेस्टोरेन्ट बार का नाम सुझाया।

"OK. Done. After class." कहकर महिका ने फोन रख दिया। राहुल भी फोन रखकर मेरे पास आकर बैठ गया।

"साल में कितनी बार अवतार लेते हो पंडित ?" मैंने किताब बंद करते हुए राहुल से पूछा।

"मौगायी न करो। चलो तैयार हो जाओ। अंगीठी में बर्थ डे पार्टी है

क्लास के बाद।''

''हमारे पास पैसा नहीं है।'' मैंने पहले ही पल्ला झाड़ा।

''तुम भोसड़ी के, अंगीठी में पार्टी दे भी नहीं पाओगे। महिका दे रही है, चलो।''

''मतलब एक कार्ड पर लड़की पार्टी दे देती है ना यार। हमको भी प्यार करा दो ना पंडित!'' मैंने कहा।

''और वो साला कार्ड भी नहीं था।'' राहुल ने हँसते हुए कहा।

''तो क्या था?''

''ग्रीटींग कार्ड के फॉर्मेट में फिशिंग टूल था। महिका के सिस्टम में key-logger डाल दिए हैं। अब वो जो भी टाइप करेगी यहाँ मेरे लैपटॉप में दिखेगा।'' राहुल ने जम्हाई लेते हुए कहा।

''हरामी हो पंडित, कितनों की प्राइवेसी में चाभी घुसाओगे?''

''अरे चाभी नहीं घुसाएँगे, बस देखना था कि चमन में मेरे अलावा कोई और भी फूल है क्या?'' राहुल ने टी-शर्ट पहनते हुए कहा।

''तो क्या दिखा?'' मैंने पूछा।

''चमन में बहार है झाड़ी। देखो, हमसे कही कि फोन तीन दिन से खराब है; लेकिन उसके फोन में कल रात तीन बजे तक बात हुई है।'' राहुल ने लैपटॉप देखते हुए कहा।

''तो ठीक तो है। कह तो ऐसे रहे हो जैसे खुद साले गंगा नहाए हो।'' मैंने तंज से कहा।

''प्रीच मत सुनाओ; पोएट्री शायरी सुनाओ झाड़ी। बहुत दिन हुआ।'' राहुल ने जूते पहनते हुए कहा। और मुझे लगा कि वह सचमुच कुछ सुनना चाहता है मैंने गाना शुरू कर दिया-

''जाते जाते वो मुझे अच्छी निशानी दे गया।''

जाते जाते वो मुझे अच्छी निशानी दे गया।

अभी मैंने एक लाईन दुहराई ही थी कि राहुल ने टोक दिया-

''तो खेलाओ भाई। गाना क्यों गा रहे हो?''

''क्या मतलब?'' मैंने पूछा।

''मतलब कि जब निशानी मिल ही गया है तो अब खेलाओ उसको।

गाना गाने का समय चला गया।'' राहुल ने ठठाकर हँसते हुए कहा।

''मरो साले। हमको लगा तुम इंसान बन रहे हो। जिन्दगी समझ रहे हो।'' मैंने भी हँसते हुए ही कहा।

''चलो-चलो नहा लो। भोज-भात खाने चलना है बाहर।'' राहुल ने फिर अँगड़ाई लेते हुए कहा।

***

बैचलरों का सबसे बड़ा सिरदर्द होता है खाना बनाना। लैपटॉप पर फिल्म देखते वक्त, इंटरनेट पर आँख सेंकते वक्त की बर्बादी अनुभव नहीं होती; लेकिन खाना बनाते वक्त इसका कुप्रभाव सीधे पढ़ाई से जुड़ जाता है। जैसे खाना बनाकर जो वक्त का नुकसान हो रहा है उसी वक्त में पढ़ा सवाल परीक्षा में आने वाला होता है।

राहुल वैसे ही बाहर खाने वाला था। इसलिए सिर्फ अपने लिए खाना बनाने का विचार मुझे समय की बर्बादी ही लगा और मैंने राहुल के साथ अंगीठी जाने का प्रस्ताव स्वीकार कर लिया। दोनों तैयार हुए और दबे पाँव सीढ़ियाँ उतरने लगे ताकि परिधि को पता न लगे। मगर यह संभव न था। राहुल के तार की छेड़ का पता परिधि को लगे बगैर राहुल सितार बजा ले यह असंभव था। अभी हम उतरने के क्रम में दरवाजे के पास से उतरे ही थे कि उसने दरवाजा खोल दिया। दरवाजा खोलते वक्त राहुल ही सामने था; इसलिए उसने राहुल को ऊपर से नीचे तक निहारा फिर अपनी आँखों और उँगलियों को सवाल के इशारे में हिलाते हुए पूछा कि हम कहाँ जा रहे हैं? जब उसने मुँह से नहीं कहा तो राहुल समझ गया कि बटुक शर्मा दोपहर का खाना खाने घर आए हुए हैं। राहुल ने फौरन जवाब दिया, ''मंडी हाउस, ड्रामा देखने। तू भी चल?''

''शी!'' परिधि ने नाक चढ़ाते हुए बुरा-सा मुँह बनाया और मुँह के बेआवाज इशारे से 'पापा' कहा। जिसका अर्थ था कि पापा घर पर हैं; जिसका एक अर्थ यह भी था कि अगर नहीं होते तो जरूर चलती।

''OK. Getting late. Bye.'' बाय का इशारा करते हुए राहुल तेज कदमों से नीचे उतर गया। परिधि ने भी दरवाजा बंद कर लिया था। मेरी साँस में साँस आई। यह जानते हुए भी कि सारा रायता राहुल का फैलाया

हुआ है और वो उसे साफ करना बेहतर जानता है; मेरी जान हलक में अटक जाती थी।

''पूछ तो लिए थे साले और अगर वो जाने के लिए तैयार हो जाती तो क्या करते ?'' मैंने सड़क पर आते ही पूछा।

''ये होता तो वो हो जाता; इसको गणित में प्रॉबेबिलिटी कहते हैं झाड़ी। और गणित की तेरहवीं तो हम बारहवीं में ही कर दिए थे। इसलिए टेंशन न लो; टैक्सी लो। चलेंगे दोनों भाई अंगीठी।'' राहुल ने घड़ी में वक्त देखते हुए कहा।

दिल्ली की भाषा में 'गर्मी बेहद सड़ी हुई थी।' पाँच मिनट का इंतजार भी दिमाग का पारा 5 डिग्री और बढ़ा दे रहा था। ठीक पाँच मिनट के इंतजार के बाद एक टैक्सी वाला रुका। हम दोनों टैक्सी में बैठ गए।

''कहाँ ले लूँ सर ?'' कैब में बैठते ही ड्राइवर ने पूछा।

''भितरामपुर।'' राहुल ने तेजी से जवाब दिया। गर्मी ने उसका संतुलन बिगाड़ दिया था। मैंने अपनी मुस्कुराहट छुपाते हुए ड्राइवर को अंगीठी चलने को कहा।

***

अंगीठी। पूर्वी दिल्ली का मशहूर लाउंज। दिन में भी इसके मद्धम रोशनी भरे माहौल में सब धुँधला और धूसर ही नजर आता है। कुछ तरतीब रोशनी की मदद से टेबल, काउच और कुर्सियाँ दिख जा रही थीं और धीरे से सुनाई देती ड्रम की आवाज इस बात का भान दे रही थी कि पार्श्व में कोई जैज संगीत चल रहा है। कॉफी बीन की ताजगी भरी महक ने अंगीठी के अभिजात होने का एहसास करा दिया था। मुझे वहाँ हर कदम के साथ एक अजीब-सी हिचकिचाहट हो रही थी जो राहुल के साथ बिलकुल भी नहीं थी। उसे कम-से-कम ऐसे माहौल का अनुभव मुझसे तो ज्यादा ही था। जब आप छोटे शहर के पॉकेट में रहते आए हों और पॉकेट भी छोटे शहरों जैसे खर्च का ही आदी हो तो आपका ध्यान इन रेस्तराओं और ऐसी दुनिया की तरफ नहीं जाता। आप बस दिल्ली जैसे शहर में भी रात दस से सुबह पाँच का वक्त किताबों में इसलिए खपाते हैं ताकि फिर तमाम उम्र सुबह 10 से शाम 5 का वक्त फाइलों में जाया कर सकें। मध्य वर्ग की नियति यही है।

अंगीठी में घुसते ही मैनेजर ने बताया कि सबसे कोने वाली टेबल हमारे लिए रिजर्व है। महिका अभी नहीं आई थी। दो चेयर लगी उस कोने वाली टेबल पर हम बैठ गए। बैठते ही वेटर एक ओढ़ी हुई मुस्कान के साथ सामने आकर खड़ा हो गया। राहुल उसे देखते ही खीझ गया।

''Your order sir.'' वेटर ने पेन और नोटपैड थामे हुए पूछा।

''सतुई का लस्सी रखे हो?''

''Sorry sir!'' वेटर शायद समझ नहीं पाया।

''सत्तू। सत्तू। उसका लस्सी रखे हो?'' राहुल ने भँवे तानते हुए कहा।

''No sir.'' वेटर ने उसी मुस्कान के साथ जवाब दिया।

''तो क्या रखे हो?''

''Here is the menu card sir.'' वेटर ने ड्रिंक के और मेनकोर्स के दो मेन्यू कार्ड राहुल की ओर बढ़ाते हुए कहा।

''देखो, अब जब तुम्हारे पास सतुई की लस्सी नहीं है तो हमें देखभाल के ऑर्डर करना होगा।'' राहुल ने गंभीर होकर कहा। मैंने सिर पीट लिया।

''Ok sir.'' वेटर ने फिर उसी मुस्कान के साथ कहा।

''हाँ। And make sure कि कोई डिस्टर्ब न करें। ऑर्डर के वक्त मैं तुम्हें बुला लूँगा और अलताफ राजा का गाना लगवा दो। मैं अलताफ राजा से बहुत प्यार करता हूँ।'' राहुल ने उसी गंभीरता से कहा। वेटर उसी ओढ़ी हुई मुस्कान के साथ वापिस होने को ही था कि मैंने उसका मूड ठीक करने के लिए बात घुमाई,

''आज के मैच में टॉस किसने जीता?''

''रेनवाश हो गया सर।'' बार टेंडर ने फिर वही हँसी ओढ़ ली।

''ओह! Thanks by the way!'' कहकर मैंने बार टेंडर को चलता किया और राहुल से कहा-

''उससे क्यों मुँह लगे थे बे। कुछ मँगवा ही लेते। बेचारा मुँह लटका के गया।''

''देखो झाड़ी, पार्टी है उसका। मतलब महिका का तो जाहिर है बटुआ भी होगा उसका। बजट भी होगा उसका। तो उसके बगैर कैसे शुरू कर दें?''

राहुल ने हाथ का कड़ा घुमाते हुए कहा।

"ये भी ठीक है। बहुत अच्छी सोच है तुम्हारी। तुम पापी होने के साथ-साथ देवता भी हो पंडित।"

अभी हम बातों में उलझे ही थे कि सामने से महिका आती दिखाई दी। उसके आने के अंदाज से ही लग गया कि वो यहाँ नियमित रूप से आती रही है। घुसने के साथ ही वह टेबल की तरफ मुड़ी। राहुल के साथ मुझे भी देखकर उसका मूड कुछ उखड़-सा गया; फिर भी कदम नापते वह टेबल तक आई और मुझे धीरे से हाय का इशारा किया। मेरे हाय का जवाब देने से पहले ही वो राहुल की ओर बढ़ गई और उसके गले लगते हुए उसके कानों में बर्थ डे ग्रीट किया। मैंने मुस्कुराहट ग्लास के पानी में दबा ली।

"सो, कब पहुँचे?" उसने जब खड़े-खड़े ही कहा। तब मेरे ध्यान में आया कि तीसरी कुर्सी नहीं है। मैंने फौरन हाथ के इशारे से वेटर को चेयर लाने को कहा। उसने आते ही कहा- "सर दिस सीट इज रिजर्व्ड़ फॉर टू पर्सन। यू मे शिफ्ट हियर।" उसने दूसरे टेबल की तरफ इशारा किया। उसके इशारा करते ही हम तीनों दूसरी वाली टेबल पर आकर बैठ गए। मैंने महिका को राहुल के पास वाली कुर्सी ऑफर की; मगर वो दूर वाली कुर्सी पर ही बैठी। मजबूरन मुझे राहुल के पास वाली कुर्सी पर बैठना पड़ा। महिका कुछ पल हथेलियों पर ठोढ़ी टिकाए राहुल को देखती रही; फिर पूछा,

"So birthday boy. what is your poision today?"

"बडवाइजर।" राहुल ने सीधा ही कहा। राहुल के जवाब देने से मेरी समझ में आया कि सवाल ड्रिंक को लेकर था।

"And you Mohit?" महिका ने मुझसे पूछा।

"वो अंगूठा पिएगा।" राहुल ने ही जवाब दिया।

"मतलब! He doesn't drink?" महिका ने आश्चर्य से पूछा।

"नहीं! ऐसा भी नहीं वो कुछ और पीता है; यहाँ मुश्किल है। अभी यहाँ अंगूठा ही मँगवा लेते हैं। थम्स-अप।" राहुल के इस बात से मैंने अपनी हँसी फिर पानी के गिलास में छुपा ली। महिका ने हाथ के इशारे से वेटर को बुलाया और कहा -

"Listen. A budviser, a corona and a coke and in main course..." महिका ने इतना ही कहा था कि राहुल ने टोक दिया-

"Hang on! इत्ती जल्दी क्या है! खाना, ड्रिंक्स के बाद मँगवाते हैं।"

"नहीं रे। मुझे निकलना है, थोड़ी जल्दी है।" महिका ने कहा और वेटर को ऑर्डर पूरे करने लगी-

"फ्राइड चिकेन विंग्स, लेमन लैंब, कॉकटेल नान एंड चिकेन टिक्का मसाला।" वेटर ऑर्डर लेकर चला गया। एक बोझिल-सा वातावरण तारी रहा। बातें औपचारिक ही होती रहीं। थोड़ी ही देर में ड्रिंक्स आ गए। टोस्ट के बाद भी जब दोनों बात करने के बजाय एक-दूसरे को देखते ही रहे तो मैंने ही बात छेड़ी-

"और महिका, एमबीए के बाद क्या प्लान है? फर्दर स्टडीज या कुछ और?"

"अरे नहीं। पापा तो मुझे अपनी हाइवे अथॉरिटी में ही सेटल करना चाहते हैं। वो चाहते है कि मैं उनके रिटायर होने से पहले-पहले ज्वाइन कर लूँ; लेकिन मैं कोलैराडो स्कूल ज्वॉइन करना चाहती हूँ। डायरेक्शन एंड आल दैट।" महिका ने कहा।

अब तक राहुल और महिका दोनों अपनी-अपनी आधी बोतल खाली कर चुके थे। बावजूद इसके मैंने यह महसूस किया कि माहौल भारी-भारी हो रहा है। दोनों लोग बात तो कर रहे हैं मगर वो कुछ और ही बात करना चाह रहे हैं जो मेरे वहाँ होने की वजह से संभव नहीं हो पा रही है। मुझे अचानक ही यह एहसास भी हुआ कि महिका मेरी वजह से थोड़ी असहज है। उसने दो चेयर वाली टेबल भी बस अपने और राहुल के लिए ही बुक की थी। इस लिहाज से मैं वहाँ हड्डी ही था। मैंने तुरंत ही राहुल से कहा-

"यार तुमलोग बैठो, मैं अभी आया।" कहकर राहुल को कुछ कहने का मौका देने से पहले ही मैं पीछे की तरफ निकल गया। पीछे जाने की कोई जगह तो थी नहीं। बस थोड़ी देर वाशरूम में बैठा रहा। जब मुझे यह लगा कि अब तक शायद उनकी अंतरंग बातें खत्म हो गई होंगी तो मैं बाथरूम से बाहर निकला; लेकिन बाथरूम से निकलते ही मुझे राहुल की थोड़ी तेज आवाज सुनाई दी; इसलिए मैं दरवाजे पर ही ठिठक गया।

"और मुझे लगा तुम मेरे लिए आई थी।" राहुल ने कहा।

"मुझे भी यही लगा था कि तुम मेरे लिए आओगे।" महिका ने धीमे

से कहा।

"हाँ तो here I am!"

"फिर इस मॉडल को साथ लेकर क्यों आए हो?" महिका ने शायद मेरे बारे में कहा।

"अरे! He is my friend. रूममेट है और आज मेरा बर्थ डे है। इसे कहाँ छोड़ कर आता?" राहुल ने लगभग लड़ते हुए कहा।

"अरे तो रूममेट है तो कमरे पर रहे। हनीमून पर भी साथ जाएगा क्या। तुमने बुला लिया और वो चला आया। Doesn't he have common sense?" महिका ने भी गुस्से में ही कहा।

"धीरे बोलो माही! वो सुन सकता है।"

"देखो! अब भी तुम्हें उसी की चिंता है और जब तुम्हें अपने दोस्त के अलावा किसी कि चिंता ही नहीं तो its better we part away." कहते हुए महिका ने उठने के लिए कुर्सी खींची। मुझे लगा कि मेरी वजह से बात शायद बिगड़ न जाए। मैं जैसे ही वहाँ पहुँचा; महिका बिल बुकलेट में कुछ रखकर चली गई। मुझे यह स्थिति अजीब हो गई। मेरी समझ में नहीं आया कि मैं दौड़कर महिका की तरफ जाऊँ या फिर राहुल से बात करूँ। ऐसी स्थिति में सोचते-सोचते ही महिका बाहर निकल गई। मैंने राहुल से पूछा,

"क्या हुआ पंडित?"

"ग्रह शांति भाई।" राहुल ने चिकेन विंग्स खींचते हुए आराम से कहा।

"कैसा ग्रह शांति भाई?"

"हम कहे थे ना कि आज भोज-भात खाने चलना है। यही था। इस रिलेशन का भोज-भात।" राहुल ने बियर के कसैलेपन से अजीब चेहरा बनाते हुए कहा।

"मतलब!" मैंने आश्चर्य से पूछा।

"Actually she wants to get rid off this relation. उसका पुराना प्रेम पछाड़ मारने लगा था। वो बहाने ढूँढ़ रही थी ताकि उसे कोई गिल्ट न रहे। हम मौका दिए। वो भी मौका नहीं चूकी। इस तरह सब राजी। सब खुश।" राहुल ने कहा।

"यार ऐसे कैसे!"

''हाँ तो, बाँधकर रखना तो कोई प्यार नहीं हुआ न झाड़ी।'' राहुल ने बियर की घूँट भरते हुए कहा।

''लेकिन यार हम तो खाना भी नहीं खाए।'' मैंने अपनी ही समस्या सुनाई।

''तो खाओ भोसड़ी के जल्दी। बाथरूम में हरमुनिया बजा रहे थे!'' राहुल ने मुस्कुराहट भरी झिड़की से कहा।

''अच्छा पंडित एक बात कहूँ?'' मैंने खाते हुए ही पूछा।

''उच्चारो।'' राहुल ने दोनों हाथ पीछे कर के फैलते हुए कहा।

''कहीं मेरी वजह से तो नहीं?''

''मतलब!''

''हम दरअसल सुन लिए थे; वो हमको मॉडल कह रही थी।'' मैंने आँख मारते हुए कहा।

''हाँ साले, बिना लड़की जवानी जियान करने वालों को नमूना ही तो कहा जाता है।'' राहुल ने फिंगर बाउल में हाथ डालते हुए कहा।

''मतलब वो नमूना बोली हमको!'' मैंने आश्चर्य से आँखें फाड़ते हुए कहा।

''ना ना। तुम रेमण्ड्स द कम्प्लीट मैन हो। खाना खा लिए?''

''हाँ।'' मैंने टिश्यू पेपर से हाथ साफ करते हुए कहा।

''देखो तो कितना टिप दी है।''

''दो सौ!''

''एक पत्ती उठा लो।''

''क्या!'' मैंने आश्चर्य से कहा।

''हाँ, लौटते वक्त टैक्सी का बंदोबस्त हो जाएगा बे।'' कहते हुए राहुल ने मुझको हक्का-बक्का छोड़कर टिप में से सौ रुपये का एक नोट उठा लिया।

कहते हैं माँगे के गाड़ियों में पेट्रोल बस पेट्रोल-पंप जाने तक ही होता है। राहुल और महिका की दोस्ती भी वैसी ही थी। राहुल अपनी आदतों से मजबूर था और महिका भी राहुल के साथ बस वक्त काट रही थी। कारण कई थे। राहुल और महिका की सामाजिक-आर्थिक स्थिति में भी अंतर था।

महिका राहुल की तरफ आकर्षित भी महज अकेलेपन की वजह से हुई थी क्योंकि उसने ललित से ब्रेकअप को बे-इज्जती की तरह लिया था। राहुल पर वह हर वक्त पूरा प्रभाव चाहती थी। उसका पूरा समय चाहती थी उसका पूरा अवधान चाहती थी जो कि राहुल के मिजाज के लिहाज से असंभव था। इसलिए ललित के वापस लौट आने से यह तो होना ही था जो आज हुआ।

न जाओ संईयाँ, छुड़ा के बइयाँ

प्रेम के कारण नहीं होते; परिणाम होते हैं पर प्रेम में परिणाम की चिंता तब तक नहीं होती जब तक देर न हो जाए। पंछी घर के छतों, मेट्रो की सीढ़ियों, कॉलेज के खुले मैदानों में या फिर पार्क के पेड़ों के गिर्द अपनी जिंदगी के नीड़ बनाने के सपने में खोए रहते हैं और परिणाम अपनी परिणति की ओर मंद गति से चलता जाता है। यह परिणति सुखद होगी या दुखद या कि फिर दुखद परिणति का सुखद परिणाम या फिर इसका भी उल्टा होगा यह महज इस बात पर निर्भर होता है कि प्रेम का परिमाण कितना है। है भी या नहीं।

सीडीएस की परीक्षा के बाद मैं घर चला गया था। पहले पाँच-छह दिन तो सब ठीक रहा मगर उसके बाद राहुल के कॉल रोज ही आने लगे। वह जब भी कॉल करता जल्द आने को कहता। मुझे ऐसा लगा कि उसका मन अकेले नहीं लग रहा होगा इसलिए वो कॉल कर रहा है। मुझे भी अब OIR टेस्ट और P&DT टेस्ट की चिंता सता रही थी। उसके बाद इंटरव्यू और साइकोलोजिकल टेस्ट की भी तैयारी करनी थी। इसलिए मैं भी दिल्ली वापस आ गया।

सीढ़ियाँ चढ़ते ही मुझे घर का माहौल कुछ अजीब लगा। सीढ़ियों के नीचे लगे मोटर पंप चलाने के लिए उतरी परिधि ने मुझसे कुछ कहना चाहा;

मगर अचानक रुक गई। उसने मेरे 'हेलो' का जवाब भी नहीं दिया और आँखें साफ करते हुए सीढ़ियाँ चढ़ गई। मैं भी परेशान हुआ। परिधि के चेहरे से जाहिर था कि सब कुछ ठीक नहीं है। मुझे लगा कि जरूर राहुल से झगड़ा हुआ होगा। मगर जितना मैं परिधि को जान पाया था उस लिहाज से परिधि राहुल से झगड़ कर रोएगी नहीं। इसके उलट वह चिल्लाकर अपनी बात मनवा लेने वालों में से थी। मैं थके कदमों से ऊपर चढ़ा। छोटू काम खत्म कर नीचे उतर रहा था। मैंने उसे सीढ़ी में ही रोककर चाय बना के जाने के लिए कहा। जिस पर उसने बताया कि राहुल भैया ने आपके जाने के बाद से दूध मँगवाया ही नहीं है। मुझे राहुल पर बहुत गुस्सा आया। मैं छोटू को जाने का कहकर कमरे में दाखिल हुआ। राहुल ने मुझे देखते ही हड़बड़ाहट में ही खड़े होकर कहा–

''झाड़ी, भाई अच्छा हुआ तू आ गया। जल्दी कर, घर खाली करना है।''

''क्यों! क्या हुआ?'' मैंने घबराकर पूछा।

''हुआ नहीं झाड़ी, होने वाला है।''

''शांति से बैठ के बताओ क्या हुआ।'' मैंने राहुल को बैठाते हुए कहा। राहुल को भी एहसास हुआ कि वो मेरे कमरे में घुसते ही अपनी प्रॉब्लम लेकर बैठ गया था। इसलिए उसने मेरा बैग पैक लेकर किनारे रख दिया और फिर बैठते हुए कहा–

''यार, Paridhi is three week late!'' राहुल ने फँसी हुई आवाज में कहा।

''What? लेकिन वो तो....'' मैंने प्रीकॉशन की बाबत पूछा।

''हाँ यार, प्रीकॉशन लेती थी लेकिन माइग्रेन की कोई दवा भी लेनी शुरू की थी। उसी के साइड एफेक्ट की वजह से शायद...'' राहुल ने कहा।

''Shit man!'' मैंने सिर पकड़ लिया।

''गड़बड़ हो गई यार।'' राहुल ने बुझी आवाज में कहा।

''परिधि क्या कह रही है?'' मैंने पूछा।

''शादी करने को। पापा से बात करने को।'' राहुल ने सीधा कहा।

''फिर?''

''मना कर दिए।''

“क्यों, मना क्यों कर दिए?” मैंने गुस्से से पूछा।

“बस मना कर दिए।” राहुल ने ढीठाई से जवाब दिया।

“मना कर दिए। मना कर दिए का क्या मतलब?” मैंने लगभग उबलते हुए पूछा।

“तो क्या करें, शादी करें?” राहुल ने भी चिल्लाते हुए जवाब दिया।

“नहीं, लेकिन अभी कम-से-कम वादा तो करो। उसकी भी हालत तो समझो।” मैंने गुस्सा पीने की कोशिश करते हुए कहा।

“अबे पच्चीस साल में कौन शादी करता है बे?” राहुल ने खीझते हुए कहा।

“अब?” मैंने दोनों हाथों को छाती पर बाँधते हुए राहुल से पूछा।

“अब क्या, कमरा खाली करेंगे। और क्या!” राहुल ने जल्दबाजी में फिर वही रट दुहराई। राहुल को ऐसा करता देख न जाने कैसे मेरा हाथ उसपर उठ गया। मैंने यह जानकर नहीं किया था। मुझे उसकी बातों से खीझ थी और इतना समझाने के बावजूद; इतनी गलतियों के बावज़ूद वो भाग रहा है। मैंने चिल्लाते हुए कहा –

“भैंचो, समझ भी रहा है कि तू कह क्या रहा है! कमरा खाली करते हैं कमरा खाली करते हैं। रटे जा रहा है! यही सोल्युशन है? और उस लड़की का क्या! वो कहाँ भाग के जाए? ब्लडी एस्केपिस्ट! इसी दिन से मैं डरता था। इसी दिन के लिए मना करता था। मगर मेरी सुनता कौन है!” कहते हुए मैं गुस्से से बैठ गया। राहुल ने भी कोई प्रतिक्रिया नहीं दी। वह भी चुपचाप मेरे सामने ही बैठा रहा।

मैंने गुस्से में राहुल पर हाथ उठा तो दिया था मगर फौरन ही मुझे अपनी गलती का एहसास भी हुआ। अब मैं उससे नजरे नहीं मिला पा रहा था। नजरें इधर-उधर भटकने के दौरान मैंने देखा कि कमरे के बाहर दो पैरों की परछाईं खड़ी है। मैं समझ गया था कि परिधि दरवाजे के बाहर खड़ी हमारी बात सुन रही है। मैंने राहुल को चुप रहने का इशारा किया। राहुल भी उसके पैर की परछाईं देखकर समझ गया और अनमना हो गया। काफी देर तक जब कोई बात परिधि को सुनाई नहीं दी तो वह दरवाजा खोलकर भीतर आ गई। पिछले एक हफ्ते में ही उसके चेहरे में काफी बदल आ गया था। तनाव, परेशानी, अपमान और अंजाने डर ने उसकी सेहत पर अपना बुरा असर छोड़ा

था। ऊपर से रही-सही कसर राहुल ने पूरी कर दी थी। भीतर आते ही परिधि ने मुझे देखकर एक उतरी हुई मुस्कान दी और कहा –

''मोहित, तू जरा दो मिनट बाहर जाएगा ? मुझे इससे कुछ बात करनी है।''

''तू कहीं नहीं जाएगा। इसे जो बात कहनी है तेरे सामने ही कहे। वैसे भी तुझसे कुछ छुपा नहीं है।'' राहुल ने मुझे कलाई से पकड़ते हुए कहा। मैं असमंजस में पड़ा अभी कुछ कह पाता तभी परिधि ने राहुल को अपलक देखते हुए कहा –

''तूने कुछ भी पर्सनल नहीं रखा ना!'' कहते-कहते परिधि के आँसू बह निकले। उसे रोता देख मैंने ही बात संभाली–

''अरे नहीं, इसकी तो एवई बकने की आदत है। तुम बातें करो मैं आता हूँ और वैसे भी दूध है नहीं। मुझे चाय की प्यास लगी है।'' कहकर मैंने उस बोझिल माहौल को हल्का करने की कोशिश की और बाहर निकल गया। जानबूझकर मैं मैगजीन के स्टॉल पर गया और टाइम बिताने के लिए कुछ किताबें पलटने लगा। बिस्किट के दो पैकेट भी खरीदे और जब ऐसा लगा कि समय काफी हो गया है तो कमरे की ओर चल दिया।

जब मैं दूध लेकर ऊपर आया तो परिधि जा चुकी थी। राहुल सिर पकड़े बैठा हुआ था।

''क्या हुआ ?'' मैंने दूध और बिस्किट रखते हुए पूछा।

''वही। Blame game and all that !'' राहुल ने लंबी साँस लेते हुए कहा।

''कहा क्या उसने ?'' मैंने परिधि के बारे में पूछा।

''She is ready to abort.''

''तो फिर ?''

''सीलमपुर में कोई गायनिक है जो कर देगी; पर वो मेल कम्पैनियन के बिना केस नहीं लेती है।''

''हाँ तो जा साथ में उसके। जाना ही चाहिए वैसे भी।'' मैंने चाय की केतली चढ़ाते हुए कहा।

"मुझसे नहीं होगा यार।"

"क्या नहीं होगा!" मैंने डाँटते हुए कहा।

"यही सब। Abortion and all that!" राहुल ने कहा।

"हरामी टाइप बात मत करो। दिमाग गरम हो जाएगा फिर गाली-वाली दे देंगे। कहाँ तो साले तुमको उस लड़की को सपोर्ट देना चाहिए और कहाँ भागने की सोच रहे हो!" मैंने गुस्सा पीते हुए कहा।

"उसी की गलती है। उसने प्रीकॉशन ही ठीक से नहीं लिया।" राहुल ने भड़कते हुए कहा।

"फिर वही बात! भोसड़ी के, वही क्यों ले प्रीकॉशन। तुम क्यों नहीं लोगे प्रीकॉशन?" मैंने गुस्से में बदजुबानी की।

"Because I trusted her. क्योंकि मुझे लगा वो ले रही है तो सब ठीक है।" राहुल ने सिर पकड़ते हुए कहा।

"यही बात। बिलकुल यही बात। तुम जितना उसको ट्रस्ट करते हो, उतना ही ट्रस्ट उसको तुमपे होना चाहिए ना और वो ले तो रही ही थी। अगर किसी कारण से प्रीकॉशन फेल हो गया तो गलती उसके सिर डाल दोगे?" मैं लगभग उबलती जुबान में कहा।

"करना क्या है झाड़ी बताओ, मेरा दिमाग फट रहा है।" राहुल ने दोनों हाथों से सिर पकड़कर पूछा।

"चाय पियो पहले और सुनो, दूसरा कोई ऑप्शन नहीं है। अगर वो मेंटली रेडी है तो उसे ले जाओ; but make sure that its her decision and not yours!" मैंने कहा।

राहुल थोड़ी देर सर झुकाए; अपनी दोनों हथेलियों में चेहरा छुपाए शांत बैठा रहा। फिर कुछ सोचकर अचानक ही बोल पड़ा-

"तू भी साथ चलेगा झाड़ी?"

"मैं! मैं जाकर क्या करूँगा!" अब मेरी हवाइयाँ गायब थीं।

"तू चलेगा तो संबल रहेगा यार।" राहुल ने लगभग गुजारिश करते हुए कहा।

"पंडित कैसा लगेगा यार! दो लड़कों के साथ एक लड़की? सोच जरा?"

"तू भीतर मत जाना। मोड़ पर ही रुक जाना कहीं। पर चल न यार।" राहुल ने फिर कहा। राहुल को ऐसी स्थिति में अकेले छोड़ देना मुझे उचित नहीं लगा। मैंने थोड़ी देर सोचने के बाद कहा–

"ठीक है। चलूँगा, पर पहले परिधि को बता कि तू चल रहा है।"

"कैसे पूछूँ भाई?" राहुल ने बचकाना सवाल किया।

"मैसेज कर दे कि डेट ले ले; वो समझ जाएगी।" मैंने कहा।

"थैंक्स झाड़ी। यार मेरा दिमाग काम करना बंद कर दिया था। देख ना, तुझसे ये भी नहीं पूछ पाया कि एक्जाम कैसा रहा?" राहुल ने पेशानी पोछते हुए कहा।

"लगता है एम.बी.ए पूरा नहीं हो पाएगा।" मैंने कहा।

"क्यों। ऐसा क्यों कह रहा है?"

"क्योंकि उससे पहले सीडीएस में हो जाएगा।"

"ग्रेट यार!" कहते हुए राहुल ने मुझे गले से लगा लिया।

***

वक्त के इस कतरे को मैं भूल जाना चाहता हूँ। यह आत्मा पर बोझ जैसा है अब तक। बोझिल, कातर और अक्षम्य भी। शब्दों, विचारों और दलीलों से आप लाख भ्रम अपने गिर्द बुन लें; मगर सच्चाई का बोझ आप महसूस करते ही हैं। राहुल बेचैन था और परेशान भी। ऐसी स्थिति की कल्पना, बिना इस अजाब में पड़े की भी नहीं जा सकती। राहुल ने रात के बाद की जिंदगी न कभी सोची थी और न कभी सोचने की जरूरत आन पड़ी थी। सारी वाचालता, चतुराई धरी रह जाती है। ऐसी स्थिति के लिए कोई लड़का या लड़की कभी तैयार नहीं होते। राहुल भी नहीं था। हाँ, मगर वो तैयारी कर जरूर रहा था। कल की तैयारी। कल जो बहुत भारी गुजरने वाली थी। वो सैकड़ों दफा फर्जी सिग्नेचर की प्रैक्टिस कर चुका था। गायनिक से वो क्या कहेगा इसकी भी तैयारी उसने अपने हिसाब से कर ली थी। लौटते वक्त किस रास्ते आना है यह भी तय कर चुका था। किसी ने देख ही लिया तो क्या कहना है इसके बहाने भी उसने सोच रखे थे। रात बीती। तय वक्त से दस मिनट पहले ही हम लक्ष्मीनगर मेट्रो स्टेशन पर आ गए। परिधि अभी नहीं आई थी। राहुल कुछ ज्यादा ही तनाव में था। उसके तनाव को कम करने के

लिए मैंने मजाक किया -

''फौजियों से क्या-क्या करवाओगे पंडित?''

''मतलब?'' राहुल ने रास्ते की ओर देखते हुए ही पूछा।

''मतलब कि अब हमलोग बम भी गिरवाएँ और बच्चा भी गिरवाएँ!''
मैंने हँसते हुए कहा।

''घटिया मजाक है ये। तुमको नहीं जाना है मत जाओ। मगर ऐसा
घटिया मजाक मत करो।'' राहुल ने नाराज होते हुए कहा।

''सॉरी सर, अच्छा लगा कि तुम्हें बुरा लगा।'' मैंने कहा। मुझे सचमुच
यह बात अच्छी लगी कि राहुल को इस बात की गंभीरता का एहसास है और
उसे भी पता है कि मजाक घटिया भी होता है। राहुल की नजर रास्ते पर
थी कि तभी परिधि आती दिखी। उसकी बिल्लौरी आँखों से हमेशा झाँकने
वाली बिल्ली गायब थी। वह उदास तो नहीं पर शांतचित्त जरूर थी। उसके
मुकाबिल राहुल ज्यादा परेशान था। हाथों में कुछ पेपर्स दबाए वो हम तक
पहुँची और एक फीकी-सी मुस्कान के साथ उसने फिर राहुल को देखा।
आँखों की शिकायतों ने मुझे यह समझा दिया कि वह शिकायत राहुल को
मुझे साथ लेने के लिए थीं। मुझे लगा कि परिधि इस बात के लिए तैयार नहीं
थी कि ऐसी स्थिति में उन दोनों के अलावा भी किसी को साथ होना चाहिए;
मगर राहुल की जिद जिसके आगे मेरे कुछ चलती नहीं थी। फिर भी इस
दफा बात समझकर मैंने कहा -

''ओके पंडित, तुम लोग चलो। मैं निकलता हूँ।''

''नहीं मोहित, तू भी चल। तू रहेगा तो मुझे ढाढ़स रहेगा। वैसे भी अब
क्या फर्क पड़ता है?'' परिधि ने मुझसे कहा।

''ये हाथ में क्या लिया है?'' मैंने प्लास्टिक फोल्डर देखते हुए परिधि
से पूछा।

''रेगुलर चेक-अप्स हैं।'' कहते हुए उसने जैसे ही रिपोर्ट ठीक करने
चाहे कुछ कागज नीचे गिर पड़े। राहुल जैसे ही कागज उठाने के लिए बढ़ा,
परिधि ने पाँचों उँगलियों के इशारे से उसे मना कर दिया। उसने खुद ही
झुककर कागज समेटे और फोल्डर में रखते हुए पूछा- ''चलें?''

''हाँ।'' मैंने कहा।

बिना कुछ कहे राहुल, मैं और परिधि मेट्रो स्टेशन की तरफ बढ़ने लगे।

मैं तीनों की मेट्रो टोकन लेने कतार में लग गया। दोनों को कुछ समय देने का यह तरीका भी कारगर होता नहीं दिखा। कतार में खड़े हुए ही मैंने देखा की दोनों लगभग आसपास खड़े तो हैं मगर राहुल किसी अपराधी की तरह नजरें नीची किए हुए है और परिधि किसी अजनबी की तरह एकटक बाहर देखे जा रही है। राहुल उससे आँखें नहीं मिला पा रहा था। उसने अपनी नजर नीचे परिधि की उँगलियों पर रखी थी। राहुल ने अपनी तर्जनी से परिधि की तर्जनी छूने की कोशिश की; लेकिन परिधि ने झटके से अपना हाथ खींच लिया। राहुल ने अपना हाथ हटा तो लिया; मगर आँखें इधर-उधर भटकने के क्रम में मुझसे टकरा गईं। मैंने दुबारा उसे हाथ पकड़ने का इशारा किया। परिधि ने फिर हाथ झटक दिया। अबकी बार राहुल ने उससे कुछ कहा जिसका परिधि ने जोर ही से जवाब दिया। बात गंभीर हो गई। आस-पास दो-चार लोग रुक गए। मैं मेट्रो टोकन ले चुका था। लेकिन मेरे वहाँ पहुँचने से पहले ही एक लड़के ने राहुल को देखते हुए परिधि से पूछ ही दिया-

''Is there any problem?''

''हाँ, प्रॉबलम है। इसकी स्कूटी लेकर पपीता लाने गया था। पंचर हो गई है। साट देगा?'' कहते हुए राहुल शर्ट की बाँहें चढ़ाकर लड़के की ओर बढ़ा ही था कि मैं दौड़ता हुआ वहाँ पहुँच गया और उस लड़के को थोड़ा किनारे ले जाते हुए कहा –

''नहीं, शक्तिमान। सब ठीक है। चकबंदी का झगड़ा है; लेकिन अंडर कंट्रोल है। आप रॉकेट बन जाइए।'' लड़का हमें घूरता हुआ आगे बढ़ गया। मेरी इस बात से परिधि को भी हँसी आ गई। हम आगे बढ़े। राहुल ने आगे बढ़कर मेट्रो की भीड़ से रास्ता बनाया। भीतर घुसते ही भीड़ ने दोनों को एक कर दिया। अजीब बात यह थी कि पूरे रास्ते राहुल परिधि को, खास कर उसके पेट को दूसरों से बचाने की कोशिश करता रहा। वह लोगों को हाथ के इशारे और हल्के धक्के से ही परिधि से दूर करता रहा। जब भीड़ बढ़ने लगी और यह लगभग तय हो गया कि परिधि को चोट लग ही जाएगी तो परिधि ने राहुल की ओर चेहरा कर लिया। हालाँकि उसने पुरजोर कोशिश की कि वह राहुल से दूर ही खड़ी रहे; मगर मेट्रो की भीड़ ने उसे बेबस कर दिया। अगले ही स्टॉप पर चढ़ी भीड़ ने उसे राहुल के बिल्कुल करीब कर दिया। राहुल ने उसके हाथ से फोल्डर छीनते हुए मुझे दे दिया और परिधि को बिल्कुल अपने नजदीक खींच लिया। फोल्डर दिए जाने के वक्त परिधि

ने मुझे देखा। मैंने हाथ के इशारे से आश्वस्त कर दिया कि चिंता मत करो मैं संभाल कर रखूँगा। परिधि बिना कुछ बोले राहुल से लग कर खड़ी रही। राहुल भी अपने दोनों हाथों से हैंडरेल को मजबूती से थामे रहा। कुछ ही देर बार हम सीलमपुर स्टेशन पहुँच गए।

मेट्रो से निकल थोड़ी ही दूर पैदल चलने के बाद वह क्लीनिक आ गया। घर के ही ग्राउंड फ्लोर में बना वह क्लीनिक देखने से ठीकठाक ही लग रहा था। मैं मोड़ के मुहाने पर ही रुक गया। राहुल, परिधि के साथ क्लीनिक तक गया और लगभग पाँच मिनट में ही लौट आया।

''क्या हुआ। लौट आया?'' उसके आते ही मैंने पूछा।

''वो गई भीतर। फिर पाँच मिनट में एक पेपर लेकर आई। कहा यहाँ साइन कर दो। मैंने कर दिया। फिर कहा कि दो घंटे लगेंगे। तुम बाहर ही वेट कर लो, मोहित के साथ।'' राहुल ने चेहरा गिराए हुए कहा।

''चल, तो ठीक ही है ना। वो बहुत मजबूत लड़की है। तू बेकार में इतना डरा हुआ था।'' मैंने राहुल के कंधे पर हाथ रखते हुए कहा।

''पता है झाड़ी। जब मैंने साइन कर दिया ना, तब उसने थैंक्स कहा।'' राहुल ने आँखों के कोरों को साफ करते हुए कहा।

''जाने दे, उसका गुस्सा जायज भी तो है। इतना तो बनता है यार।'' मैंने राहुल की पीठ पर हाथ मारते हुए कहा।

''माँ की बहुत याद आ रही है झाड़ी।'' राहुल ने भर्राई आवाज में कहा।

''तो बात कर ले। आंटी कह भी कह रही थीं कि तू बात ही नहीं करता।'' मैंने कहा।

''माँ लड़कों की पंचिंग बैग होती है। उनका स्ट्रेस बस्टर। दारू पीकर उन्हें दसियों प्रेमिकाएँ याद आ सकती हैं; मगर आँसू पीते हुए उन्हें बस माँ ही याद आती है। माँ ने कभी छड़ी उठाई भी होगी तो बस इस वजह से कि पापा से कम मार पड़े। माँ, लड़कों की सहेली कभी नहीं होती। फिर भी वो बिना कहे परेशानियाँ समझ लेती है। वो आवाज में उत्साह, खनक, ठहराव, लरजिस और उदासी पहचान लेती है और महज हैलो कहने के अंदाज से ही जान लेती है कि आपकी मन:स्थिति कैसी है।''

राहुल ने माँ को फोन लगाया।

''हैलो, ममा!''

'' ... ''

''हाँ, ठीक हूँ। कभी पढ़ाई की है जो अब करूँगा!''

'' ... ''

''आपकी याद आ रही थी तो फोन कर लिया।''

'' ... ''

''क्यों, आपकी याद नहीं आ सकती?''

'' ... ''

''नहीं, पापा से बात नहीं करनी।''

'' ... ''

''बस कहना था आई लव यू।'' कहते-कहते राहुल की आवाज फिर भर्रा गई।

'' ... ''

''नहीं ममा, मैं ठीक हूँ। हाँ मोहित साथ ही है।''

'' ... ''

''अरे, उससे क्या बात करनी! मैं कह रहा हूँ ना कि मैं ठीक हूँ।''

'' ... ''

''अच्छा देता हूँ।'' कहते हुए राहुल ने मोबाइल मेरी ओर बढ़ाया। स्पीकर पर हाथ रखते हुए उसने धीरे से कहा ''ममा तुझसे बात करना चाहती हैं।'' मैंने फोन लिया और कहा, ''आंटी नमस्ते!''

''नमस्ते बेटा, राहुल ठीक तो है ना?''

''हाँ आंटी, बिलकुल ठीक है।'' मैंने कहा।

''बेटा वो रो क्यों रहा है?'' राहुल की माँ की आवाज भी भर्रा गई।

''कुछ नहीं आंटी ऐसे ही।''

''कहीं कोई लड़की-वड़की तो नहीं?''

''नहीं, आंटी आप तो जानती हैं। राहुल ऐसा लड़का नहीं है।''

''हाँ वो तो है, चंचल है लेकिन ऐसा नहीं है मेरा बेटा। अच्छा उसने किसी से उधार तो नहीं लिए?''

"नहीं आंटी, ऐसा कुछ नहीं।"

"बेटा पैसे की जरूरत हो तो बता देना। अंकल से कहकर जितने चाहिए होंगे भिजवा दूँगी।"

"जी आंटी।"

"किसी से झगड़ा-वगड़ा तो नहीं हुआ ना उसका?"

"नहीं आंटी।"

"फिर वो रो क्यों रहा है?" आंटी ने अब खुद रोते हुए पूछा।

दरअसल माँ को आप बिना कारण बताए नहीं टाल सकते। झूठा ही सही पर उनकी चिंता शांत करने के लिए कारण आपको ढूँढ़ने ही पड़ते हैं। मैंने भी उस वक्त एक कारण ढूँढ़ ही लिया,

"आंटी, मैं आपको बताना नहीं चाह रहा था लेकिन आप परेशान हो रही हैं इसलिए बता देता हूँ। स्ट्राटेजिक प्लानिंग के पेपर में राहुल को मुझसे 5 नंबर कम आए हैं। इसलिए उदास है।"

"बस, इतनी-सी बात है। उसे फोन दो मैं अभी कह देती हूँ। अगली बार तुमसे भी ज्यादा मेहनत करेगा।" आंटी ने कहा।

"जी आंटी।" कहते हुए मैंने फोन राहुल को दे दिया।

"हाँ ममा।"

"..."

"हाँ, इसीलिए। हाँ पढ़ूँगा।"

"..."

"हाँ, अब आप पापा मत बनो। मैं पढ़ूँगा।"

"..."

"बाय, लव यू। बाय।" राहुल ने कहते हुए फोन काट दिया। घंटे भर का समय लगभग बीत चुका था। धूप तेज होकर सिर पर आ गई थी। राहुल लगातार ही क्लीनिक के दरवाजे की ओर ही नजर लगाए खड़ा था। मुझे अचानक ही खाने की जरूरत महसूस हुई। मैंने राहुल से कहा,

"भाई कुछ खा लेते हैं।"

"उसे आ जाने दे फिर साथ में ही खाएँगे।" राहुल ने भौंहों को मलते हुए कहा।

"भाई वो अनेस्थेसिया के एफेक्ट में होगी। निकलकर भी खाने की पोजीशन में नहीं होगी। समझा कर।" मैं भूख से बेहाल हो रहा था।

"उसे बेहोश करेंगे?" राहुल ने आश्रय से पूछा।

"नहीं बेटे, गुदगुदी करेंगे। Don't talk like a fool. अबॉर्शन है भाई। इसमें वक्त लगता है।"

"और वो होश में ही नहीं आई तो?" राहुल ने खड़े होकर परेशानी से टहलते हुए पूछा।

"सवाल तो ऐसे पूछ रहा है जैसे कि तूने फॉर्म में अपना असली नाम डाला है। चिल मार। चल खाना खा लेते हैं।" मैंने कहा।

"यार झाड़ी, कितने हफ्ते बाद बच्चे में जान आ जाती है?" राहुल ने उदास आवाज में पूछा।

"पता नहीं पंडित। यार तू अब ये फालतू की बातें कर करके मुझे गिल्ट फील मत करवा।" मैंने खीझते हुए कहा। मुझे भूख भी लगी थी और राहुल की इन बातों से मुझे ग्लानि भी होने लगी थी। दोनों ही कारणों से मैं खीझ गया। राहुल शायद यह बात समझ गया। उसने कहा,

"यार झाड़ी, तू कुछ खा ले। मैं तो नहीं जा सकता। अगर इसी वक्त उसे जरूरत हो गई या वो निकल आई और मुझे नहीं पाया तो बहुत बुरा होगा।"

राहुल को इस तरह देखकर मुझे अजीब लग रहा था। एक तरफ मुझे इस बात कि खुशी भी थी कि उसे किसी की फिक्र हो रही है। दूसरी तरफ मुझे यह भी डर था कि कहीं यह दिखावा केवल क्षणिक न हो। मैंने आखिर कह ही दिया—

"भाई, एक बात कहूँ। एक दिन में इतना चेंज दिखाओगे ना तो हमको गुप्त रोग हो जाएगा। परिधि ठीक है; तुम ही ओवर रिएक्ट कर रहे हो।"

"व्हॉटएवर मोहित। तू कुछ खा ले यार।" राहुल ने खीझते हुए कहा। मुझे याद नहीं कितने दिनों बाद राहुल ने मुझे नाम से पुकारा था। मतलब साफ था। वह परेशान था और मेरी बातों से बे-असर भी। शायद मेरी बातें उसे परेशान ही कर रही थीं। यही सोचकर मैं कुछ खाने की तलाश में निकल पड़ा। आगे ही एक दुकान पर चिकेन पैटीज और कोल्ड ड्रिंक की एक बोतल से मैंने अपनी भूख मिटाई। एक पैटीज और एक पानी की बोतल लेकर जैसे

ही मैं राहुल के पास पहुँचा; मैंने देखा राहुल परिधि को लिए आ रहा है। परिधि दो घंटे में हफ्तों की बीमार जैसी लग रही थी। वह निढाल तो नहीं थी पर अपना सिर राहुल के कंधों पर रखे धीरे-धीरे ही बढ़ रही थी। राहुल का एक हाथ परिधि के पंजे से फँसा हुआ था और दूसरा हाथ उसकी पीठ को सहारा दिए था।

मैं जैसे ही पहुँचा; राहुल ने कहा, ''मैंने कहा था ना!'' राहुल मुझ पर ऐसे चिल्लाया जैसे सारी गलती मेरी हो।

''करना क्या है अब?'' मैंने भी खीझकर कहा।

''एक टैक्सी बुला ले। मेट्रो में जाना ठीक नहीं रहेगा।'' राहुल ने झट से कहा।

''भाई, थोड़ी देर बैठकर मेट्रो से ही चलते हैं।''

''तू देख नहीं रहा। ऐसी पोजीशन में कैसे खड़ी रहेगी मेट्रो में। तू टैक्सी बुला। डोंट वरी। मैंने एटीएम से पैसे निकाले हैं।''

राहुल यह समझा कि मुझे पैसों की परेशानी है; लेकिन मेरी परेशानी दूसरी थी और परिधि राहुल के इतने नजदीक थी कि मैं जोर से बोल भी नहीं सकता था।

''टैक्सी बुला तो लूँ भाई; लेकिन इसकी आँखें चढ़ी हुई हैं। घर पे शक हो जाएगा।'' मैंने फुसफुसाते हुए ही राहुल से कहा लेकिन शायद नजदीक होने के कारण परिधि ने सुन लिया।

''मूवी देखने चलें।'' परिधि ने उनींदे ही कहा।

''क्या?'' राहुल हतप्रभ रह गया।

''ऊँचा सुनता है क्या? मैंने कहा मूवी चलें?'' परिधि ने बहुत ही कमजोर आवाज में कहा। पहले तो मुझे हँसी आई लेकिन मुझे भी परिधि की बात जँच गई।

''ठीक ही तो कह रही है। थोड़ी देर थियेटर में रहेगी तो अनेस्थेसिया का असर भी जाता रहेगा।'' मैंने कहा और हम एक पेड़ की छाया में रुक गए। थोड़ी ही देर में एक टैक्सी सामने आकर रुक गई।

''भाई EDM मॉल ले लियो।'' राहुल ने कैब वाले को रोकते हुए कहा। कैब में मैं आगे बैठ गया। राहुल और परिधि पीछे वाली सीट पर बैठे। बैठते ही मैंने सामने वाली मिरर को इस तरह घुमा दिया कि ड्राईवर पीछे की

ओर न देख पाए।

"कुछ खाने को है?" परिधि की आवाज आई। मैंने बिना पीछे मुड़े ही पैटीज और पानी की बोतल पीछे पकड़ा दी। परिधि ने टिश्यू पेपर से पैटीज पकड़ा और जितनी बड़ी बाइट ले सकती थी, ली। राहुल पानी की बोतल हाथ में लिए उसे देखता रहा। पैटीज खा लेनें के बाद राहुल ने ढक्कन खोलकर पानी की बोतल पकड़ाते हुए धीरे से पूछा – .

"Was it painful?"

"Shut up and no more question about it." परिधि ने कहा।

"मुझे माफ कर सकती है?" राहुल ने उसके बालों में अपनी उँगलियाँ फिराते हुए कहा।

"ना।" कहते हुए परिधि ने अपनी पेशानी से राहुल की पेशानी ढँक ली।

"I am phir bhi sorry! I am sorry to the nth time." राहुल ने उसकी अँगूठी को देखते हुए धीरे से कहा।

"तू बोलता रह। जब नहीं बोलता ना; तब ज्यादा बुरा लगता है।" परिधि ने लरजती आवाज में कहा।

"आई लव यू परिधि शर्मा।" राहुल ने परिधि की पेशानी चूमते हुए कहा।

"आई लव यू टू राहुल मिश्रा।" कहते हुए परिधि ने राहुल की उँगलियाँ चूम लीं।

प्यार अब हुआ जाता था।

साकिया आज मुझे नींद नहीं आएगी

सुबह हमेशा एक जैसी ही होती है। एक रस, एक वर्ण, एक रूप लिए। जीवन में बहुत कम ही सुबह ऐसी होती है जो उम्र भर याद रहे। मेरे लिए आज एक ऐसी ही सुबह थी। सबेरे उठते ही पापा का फोन आया था और उन्होंने मुझे यह खबर दी कि मेरा सीडीएस में फाइनल सेलेक्शन हो गया है। दो दिन से लैपटाप का चार्जर खराब होने के कारण मैं वेबसाइट चेक नहीं कर पाया था। कम लोगों के सपने पूरे होते हैं। मैं उनमें से एक था जिनके पूरे हुए थे। जो आर्मी ज्वॉइन करना चाहता था और एनडीए में सेलेक्ट नहीं होने के कारण भी मैंने हार नहीं मानी थी और बेमन से एमबीए में एडमीशन लेने के बाद भी सीडीएस की तैयारी करता रहा। पापा का फोन रखकर मैं राहुल को ढूँढ़ने लगा। वो शायद राशन लाने नीचे गया था। जैसे ही वह आया उसने मेरे कुछ कहने के पहले ही अपनी बात छेड़ दी–

''झाड़ी, मेरे पापा का फोन तो नहीं आया था?''

''मेरे पापा का आया था। तुम्हारे पापा का तो नहीं। क्यों क्या हुआ?''

''भसड़ हो गई भाई। पापा का फोन आया था सबेरे-सबेरे। हमको लगा कि परिधि का होगा।''

''फिर?'' मुझे कुछ मजेदार घटना का हिंट मिल गया था। मैंने दिलचस्पी

लेते हुए पूछा।

"फिर क्या, हम नींद में ही बोल दिए- हाय बेबी।" राहुल ने उदास स्वर में कहा।

"भक्क साले!" मैं हँसते हुए दोहरा हो गया था।

"सही भाई, रौला हो गया।" राहुल ने मुँह गिराए हुए ही कहा।

"अबे ये कोई रौला नहीं है। वो समझे होंगे कि तू उन्हीं को कह रहा था।" मैंने हँसी रोकते हुए कहा।

"सुन तो, कांड आगे हुआ भाई।" राहुल ने उदासी से कहा।

"सुना।"

"बेबी सुनकर उनको शॉक मार दिया। एकदम शंट हो गए। तो हमको लगा कि परिधि हाय बेबी के बाद वाली लाइन सुनना चाह रही है। हम नींद में ही बोल दिये, आई लव यू बेबी।" राहुल को भी बताते हुए हँसी आ ही गई।

"भक साले, झूठ मत बोलो।" मैं हँस-हँस के हल्कान हुआ जा रहा था।

"भगवान कसम झाड़ी। यार फिर पापा बिना कुछ बोले फोन रख दिए। तब से मिजाज लहरा हुआ है। यार झाड़ी, तेरे पास अगर फोन आए तो कह देना कि हम अच्छे से पढ़ रहे हैं। नहीं तो लोड ले लेंगे वो।" राहुल ने कहा।

"कह देंगे भाई, लेकिन हमको पता है कि अंकल का फोन क्यों आया था।" मैंने कहा।

"क्यों आया था बे?" राहुल ने अचरज से पूछा।

"तुमको ये बताने के लिए कि मेरा फाइनल सेलेक्शन हो गया है।" मैंने मुस्कुराते हुए कहा।

"क्या!" राहुल ने खुशी से आँख फाड़े हुए कहा।

"हाँ भाई! आखिरकार!"

"गले मिल भाई, इतना बढ़िया न्यूज दिया है। आज तो पार्टी होगी। दारू पिएँगे आज।"

"डन।"

''ओ, अब समझ में आया। पापा सबेरे हमको टोचन देने के लिए फोन किए थे कि मोहित के पापा मिठाई बँटवा रहे हैं और तुम हमलोगों से दोना चटवा रहे हो।'' राहुल ने सोचते हुए ऐसा कहा कि मुझे हँसी आ गई। हँसते हुए ही मैंने कहा-

''चल पहले बटुक शर्मा को मिठाई तो दे आएँ।''

''हाँ चलो, इसी बहाने यार का दीदार तो होगा।'' राहुल ने हँसते हुए कहा। हम मिठाई खरीदकर बटुक शर्मा के दरवाजे पर थे। घंटी राहुल ने बजाई।

''कौन?'' भीतर से बटुक शर्मा की आवाज आई।

''जमाई राहुल।'' राहुल ने तेजी से शैतानी भरा जवाब दिया।

''कौन है?'' अबकी बार कड़क आवाज आई!

''जी मैं राहुल।'' राहुल ने तुरंत शब्द व्यवस्थित कर दिए। बटुक शर्मा ने दरवाजा खोला और राहुल को देखकर कुछ कहते तब तक मैंने मिठाई का पैकेट आगे बढ़ा दिया।

''जे किस खुशी में बेटे जी?'' बटुक शर्मा ने पूछा।

''Uncle I have cracked CDS.''

''क्रैक्ड सी डी?? ठीक किया बेटे। एकदम बढ़िया किया जो सीडी तोड़ दी तूने। जे चकरी ही छोरों को खराब कर रही है आज कल।'' बटुक शर्मा ने मिठाई खाते हुए और राहुल की तरफ इशारों से देखते हुए कहा। मैं समझ गया कि मेरी अंग्रेजी बटुक शर्मा के पल्ले नहीं पड़ी और वो उसे फिल्मों की सीडी समझ रहे हैं। हारकर मैंने सीधे लफ्जों में कहा-

''अंकल मेरी नौकरी लग गई है।''

''सरकारी है?'' बटुक शर्मा ने फौरन सवाल किया।

''जी अंकल।''

''अरे जे बड़ी खुशी की बात है। एक मिठाई और खिला। मैं तो पीछे ही जानता था के तू जरूर कुछ करेगा। मेरा कमरा है ही इतना भागशाली। तेरे पीछे जो लड़का किरायेदार था ना; वो भी सफाई विभाग में जमादार हो गया था, इसी कमरे से।'' बटुक शर्मा ने ऐसी तुलना की जिससे मेरी सारी खुशी काफूर हो गई।

"ठीक है अंकल। हम चलते हैं।" मैंने निकलने में ही भलाई समझी।

"रे थम तो। शर्बत तो पीता जा। परिधि... रे छोरी, शर्बत बना ला जल्दी।" बटुक शर्मा ने कहा।

"नहीं अंकल, आज हम जरा बाहर जा रहे हैं। शाम को आते हैं।" मैंने कहा।

"किस विभाग में नौकरी हुई तेरी बेटे?" बटुक शर्मा ने पूछा।

"जी, आर्मी में।" मैंने कहा।

"साहबों वाली पोस्ट पर?" बटुक शर्मा ने फिर पूछा।

"जी अंकल।"

"बहुत अच्छा बेटे। बहुत बढ़िया। बड़ी खुशी हुई जे सुन के।" बटुक शर्मा ने मिठाई का पैकेट टेबल पर रखते हुए कहा।

"जी अंकल।" कहकर मैं और राहुल कमरे से निकल गए। अभी हम नीचे पहुँचे ही थे कि बटुक शर्मा ने पीछे से आवाज दी,

"बेटे, सुन जरा।"

"हाँ, अंकल बोलिए।" मैंने कहा।

"जरा अपने पापा का फोन नंबर देना।" बटुक शर्मा ने कहा।

"जी अंकल। नोट कीजिए।" कहकर मैंने पापा का फोन नंबर बटुक शर्मा को लिखवा दिया। पैदल चलते हुए सिगरेट की दुकान पर हम पहुँच गए। सिगरेट जलाते हुए राहुल ने बेतुका सवाल पूछा-

"ये सरकारी नौकरी क्या होता है झाड़ी?"

"जो मेरे बाप और तुम्हारे बाप करते हैं।" मैंने भी सिगरेट राहुल से लेते हुए बेतुका जवाब दिया।

"मतलब उनके अलावा दुनिया में कुछ नहीं हैं।"

"नहीं हमारी दुनिया में तो नहीं। हम वहीं तक सोच पाते हैं।" मैंने भी सफेद धुआँ आकाश के हवाले करते हुए कहा।

"ठीक कहते हो। पापा हमेशा माँ को सुनाते रहते हैं- नौकरी हो तो सरकारी वर्ना बेचो तरकारी।" राहुल ने आधी जली सिगरेट जमीन पर मसल दी।

***

मध्यवर्गीय पिताओं की कई विशेषताओं में से एक विशेषता है उनकी

सामाजिक नजर। यह नजर महज एक नौकरी से तौल ली जाती है। कल तक चौक–चौबारों में बैठ कर धूम्र–छल्ले उड़ाने वाला लड़का महज एक नौकरी के बाद इन पिताओं को रात–रात भर लालटेन की रोशनी में पढ़ने वाला दिख जाता है। कल तक अपने बाप की मोटर बाइक पर घूमने वाला आवारा इन्हें अक्सर कोचिंग सेंटर के बाहर बाइक पर बैठ पढ़ता दिखने लगता है। कल तक इन निकम्मों का नाम भी न जानने वाले ये पिता अब गोत्र तक की तलाश में लग जाते हैं। यह परिवर्तन या तो अपने बेटों को सस्ता बताने के लिए होता या बेटियों का रिश्ता बनाने के लिए।

इसके उलट लड़कों के साथ एक समस्या यह भी होती है कि वह 16 की उम्र में ही शादी के लिए शारीरिक रूप से तैयार भले ही हों; 61 की उम्र तक मानसिक रूप से तैयार नहीं हो पाते। सुहागरात उनका सपना भले हो; शादी दु:स्वप्न ही होता है। दरअसल लड़के बड़े नहीं होना चाहते। और यही डर उन्हें हामी भरने से रोकता रहता है। मुझे लगता था कि राहुल के साथ भी यही समस्या थी। उस दिन राहुल को पहली बार मैंने चिंतित देखा। अभी मैं उससे कुछ पूछता उससे पहले ही उसने कहा –

"जिंदगी एयर होस्टेज हो गई है झाड़ी, न चाहते हुए भी हँसना पड़ता है।"

"क्या हो गया है पंडित तुम्हें ?" मैने पूछा।

"प्यार हो गया है झाड़ी। बहुत सिरदर्दी का काम है भाई।" राहुल ने कहा।

"चलो घर से घूम आते हैं। जसप्रीत को देखोगे तो सिर दर्द कम हो जाएगा। आजकल और ठीक लग रही है।" मैंने बाईं आँख दबाते हुए कहा।

"नहीं झाड़ी। परिधि अकेली हो जाएगी यार। फिर अकेले में रोएगी। रोती है तो टेंशन हो जाता है भाई।" राहुल ने कान साफ करते हुए कहा।

"परिधि! हमको नहीं लगता कि आज से पहले तुम उसका नाम लिए हो। फिर तो तुमको हो गया है भाई। अब मामला गंभीर लग रहा है। हुआ क्या ?" मैंने पूछा।

"बटुक शर्मा ने तेरे पापा का नंबर जो माँगा था ना!" राहुल ने कहा।

"हाँ तो ?" मैंने आश्चर्य से पूछा।

''वो दरअसल परिधि से तेरे रिश्ते की बात के लिए माँगा था।'' राहुल बात पूरी नहीं कर पाया।

''जा रे साला! बटुक तो पूरा बटुक है। तुम भी कैसी बात लेकर परेशान हो!'' मैंने कहा।

''वो बात नहीं झाड़ी। हम जानते हैं कि तुम मना कर ही दोगे; लेकिन यार जब उसके दिमाग में इसकी शादी की बात आ ही गई है तो और कितने दिन रुकेगा! छह महीने या ज्यादा-से-ज्यादा साल भर। फिर उसके बाद तो कहीं-न-कहीं कर ही देगा।'' राहुल ने आँखों के कोनों को तर्जनी और अंगूठे से रगड़ते हुए कहा।

''परिधि संभाल लेगी। तुम चिंता मत करो।''

''वो भी हम जानते हैं झाड़ी; लेकिन यह सब काम तो दूसरे कर रहे हैं। हम क्या कर रहे हैं?'' राहुल ने खुद से ही सवाल किया।

''और करना क्या चाहते हो तुम?''

''पता नहीं। बस उसकी शादी में सलाद से छोटा भीम नहीं बनाना चाहते यार।'' राहुल ने कहा।

''हँसाओ मत साले, कुछ सोचो। शादी अगर करनी ही है तो तब तक कोई प्राइवेट ही पकड़ लो।''

''तुमको क्या लग रहा है कि हम नौकरी के लिए परेशान हैं?''

''तो फिर?''

''नौकरी तो बाल बढ़ाने से मिल जाएगी झाड़ी, हम परेशान इसलिए हैं कि साला 25 साल की उम्र में कोई शादी करता है क्या! और फिर इस बकलंठ ससुर से हम शादी की बात कैसे करेंगे जिसको हम गाँजा भर के सिगरेट पिलाए; जिसको हम अपना 40 GB का खजाना दिखाए। उससे उसी की बेटी के लिए शादी की बात कैसे करेंगे?'' राहुल ने जोर देते हुए कहा।

''तुम साले बटुक को पॉर्न कब दिखाए?'' मुझे हँसी आ गई थी।

''आया था एक दिन। कहता है कितना बड़ा मोबाइल का स्क्रीन ठीक रहेगा। उसी दिन भर दिए मोबाइल में।'' राहुल ने हँसते हुए कहा।

''जा रे अभागा!'' मैंने सिर पकड़ लिया था। हँसते-हँसते मेरी आँखों में पानी आ गए।

"और पता है, एक हफ्ते बाद क्या कहता है?" राहुल ने हँसी रोककर कहा।

"क्या!" मैंने खाँसते हुए पूछा।

"कहता है कि ये हर फिल्म के लास्ट सीन में निशाना सही क्यों नहीं लगता है। इधर-उधर भाग जाता है।" कहते-कहते राहुल को फिर हँसी आ गई।

"भक साले, हँसाओ मत। उलट जाएँगे।" मैंने पेट पकड़ते हुए कहा।

"अब बताओ! ऐसे आदमी से उसी की बेटी से शादी की बात कैसे करें?" राहुल ने वाजिब बात की।

"ठीक कह रहे हो राजा! लेकिन ये कोई प्रॉब्लम नहीं है। तुम बात नहीं करोगे तो परिधि बात कर लेगी। हम बात कर लेंगे। तुम नौकरी की सोचो।" मैंने कहा।

"नौकरी का क्या सोचना झाड़ी, वो तो बाल बढ़ाने से मिल जाती है। तुम कोई शायरी सुनाओ।" राहुल ने बेफिक्र कहा।

अभी मैं इन बातों का मजा ले ही रहा था कि दरवाजे पर एक जोरदार धमक के साथ परिधि अंदर घुसी।

"मोहित, चाभी ले और बाहर जा। और हाँ, आराम से अइयो।" परिधि ने मेरी ओर बटुक शर्मा के कार की चाभी उछालते हुए कहा।

"ये कौन-सा तरीका है लड़कों के कमरे में घुसने का?" मैंने परिधि को छेड़ते हुए कहा।

"तू जाता है या नहीं?" परिधि ने कमर पर हाथ रखकर भवें टेढ़ी करते हुए कहा।

"एक तो मुझसे तू-तड़ाक से बात ना कर। इज्जत दे, मैं तो तेरा होने वाला पति हूँ।" मुझे उसे देखते ही हँसी आ गई थी।

"शकल देखी है अपनी।" परिधि ने हाथों को एक-दूसरे से बाँधते हुए तन कर कहा।

"क्यों, तेरे इस चूरन से तो अच्छा ही हूँ और वैसे भी मेरे पास तेरे बाप का आशीर्वाद है, अच्छी सैलेरी है, पक्की नौकरी है। इसके पास क्या है? हाँय!"

''इसके पास मैं हूँ। और सुनना है कुछ?'' परिधि ने तमतमाते हुए कहा।

''एक तो तू इस कमरे का रेंट शेयर किया कर। आधे वक्त तो यहीं बैठे रहती है।'' मैंने परिधि को फिर छेड़ा।

''तू जाने का क्या लेगा?'' परिधि ने अबकी धमकी भरे लहजे में कहा।

''बस एक बार कह दे कि तू मुझसे भी प्यार करती है।'' मैंने तर्जनी में चाभी घुमाते हुए कहा।

''तुझसे भी मतलब, मजाक बना रखा है मेरा। एक तो मैं वैसे ही परेशान हूँ और इसे कोई फर्क भी नहीं पड़ता।'' परिधि ने राहुल से दूर बिस्तर पर बैठते हुए कहा।

''अब तू कलेश मत कर। मैं भी कोई कम परेशान नहीं हूँ।'' राहुल ने दोनों हाथों के बीच चेहरा छुपाते हुए कहा।

''तू परेशान हो के भी क्या करेगा! छत की ओर देखेगा और खो जाएगा। जम्हाई लेगा और सो जाएगा।'' परिधि ने राहुल की नकल करते हुए कहा। उसके कहते-कहते ही राहुल को जम्हाई आ गई। परिधि का गुस्सा सातवें आसमान पर चढ़ गया। गुस्से से भरी वो भी तकिये पर कुहनी टिकाकर अपने हाथों से मुँह छिपा कर बैठ गई। राहुल समझ गया कि अभी कुछ भी करना पलीते को आग देना है। वह चुप ही रहा। परिधि सुबकती रही।

''मेरे पास एक सोल्युशन है।'' मैंने दोनों को चुप देखकर कहा।

''क्या?'' परिधि ने बच्चों-सा उत्साहित होकर पूछा।

''तू मुझसे शादी कर ले।'' दबाते-दबाते भी मेरी हँसी छूट गई।

''साले तू ऐसे नहीं मानेगा।'' कहती हुई परिधि दनदनाती आई और मेरे बालों को पकड़ कर मेरा सिर झुकाते हुए मुझ पर घूँसों की बरसात कर दी। मेरा हँसना जारी रहा। बीच-बीच में राहुल 'छोड़ दे यार' बस यही कहता रहा।

मार खाते हुए भी मैंने कहा-

''देख ले, सोच ले। तुझे मार खाने वाला पति दूसरा नहीं मिलेगा।''

परिधि रुकी और रोने लगी। मामला वाकई मजाक की हद से निकलकर गंभीर हो रहा था।

“रुला दिया ना!” कहते हुए राहुल उठा और परिधि के बाएँ आकर बैठ गया। परिधि उसके कंधों के इंतजार में ही थी। उसके सीने से सटकर फिर रोने लगी। रोत-रोते ही अचानक उसे कुछ याद आया और दोनों हाथों की हथेलियों से आँख पोंछते हुए राहुल से बोली-

“तू कुछ करता क्यों नहीं?”

“क्या करूँ?” राहुल उसके बालों में उँगलियाँ फिराता हुआ बोला।

“पापा से बात कर।” परिधि ने कहा।

“क्या कहूँ, ये कि अंकल मैं राहुल मिश्रा। आपको फिल्टर पेपर में तंबाकू रगड़कर देशी सिगरेट पिलाने वाला राहुल मिश्रा आपकी बेटी से शादी करना चाहता है।” राहुल ने खीझते हुए कहा।

“पापा सिगरेट पीते हैं?” परिधि को अब दूसरी ही चिंता लग गई।

“नहीं! मेरा ल... मेरा मतलब! मेरा लहू पीते हैं। लहू।” राहुल ने जैसे-तैसे बात संभाल ली। मुझे फिर हँसी आ गई।

“हँस क्यों रहा है तू। बड़ी हँसी आ रही है तुझे। और तूने अकेले-अकेले कैसे फॉर्म भर दिया। इसे क्यों नहीं बताया। तू जेलस है साले?” परिधि ने एक साँस में मुझसे कहा।

“बताया था। लास्ट डे को फॉर्म भी लाया था। एक्स्ट्रा, मगर उस दिन तुझे बहुत जोर की मोमोज लगी थी। लाजपत नगर जाना था भाई को।” मैंने गुस्साते हुए कहा।

“हाँ हाँ। सारी गलती तो मेरी ही है।” परिधि ने भी अपनी हथेलियों में अपना चेहरा छुपाते हुए कहा।

“चुप कर ले भाई। इतना बड़ा भी कोई इश्यू नहीं है।” राहुल ने बीच में कहा।

“हाँ हाँ, तेरे लिए तो बड़ी इश्यू यही है कि यार सचिन को अभी चार साल और खेलना चाहिए और नेहरा को लास्ट ओवर क्यों नहीं दिया?” परिधि ने झल्लाते हुए कहा।

“तू तसल्ली रख। मैं बात करूँगा अंकल से। अगले महीने कैम्पस आने वाली है। हो जाएगा कहीं-न-कही।” राहुल ने कहा। कैम्पस की बात से मुझे हँसी आ गई। मेरे हँसने के साथ ही राहुल को भी हँसी आ गई। दोनों को हँसता देख परिधि तमतमा कर उठी और झल्लाहट के साथ बुदबुदाती, रोती

बाहर निकल गई। राहुल ने सिर पकड़ लिया।

"बहुत समस्या है जिंदगी में झाड़ी।" राहुल ने कहा।

"ये तो तुम्हारा अपना बोया हुआ है। खाद-पानी देते वक्त समझ नहीं आया था कि समस्या उग आएगी।"

"अबे ये खाद पानी देने की ही उम्र है। अब पच्चीस साल की उम्र में कोई शादी की सोचता है क्या?" राहुल ने कहा।

अभी मैंने इसके जवाब में मुँह खोला ही था कि एक झटके से दरवाजा खुल गया। दरवाजे के पीछे परिधि ही थी जो हमारी सारी बातें सुन रही थी। उसने दरवाजा बंद किया; भीतर आई और राहुल से कहा,

"लड़कियों की यही उम्र होती है माँ-बाप के नजर में शादी की। वो अपनी जगह ठीक हैं और मैं अपनी जगह। शादी तो मैंने तुझसे ही करनी है। कैसे करनी है ये सोचना तेरा काम है।"

"तू जाएगी तब तो सोचेगा कोई।" मैंने हाथ जोड़ते हुए कहा।

"जा रही हूँ संसद बैठा लो अपनी। और हाँ ये खाद-पानी क्या है?" परिधि ने दोनों हाथ कमर पर रखते हुए पूछा।

"कुछ नहीं, तू अब जा यहाँ से।" अबकी राहुल ने कहा।

"जा रही हूँ। लेकिन सुन लो, अगर ऐसा वैसा कुछ हुआ ना तो दरवाजा बंद कर आग...।" परिधि ने अभी इतना ही कहा था कि मैंने डरकर बीच में ही टोक दिया–

"अरे तू क्यों आग लगाएगी! गलती किसी और की और सजा तू क्यों भुगतेगी?"

"तुम्हारे कमरे का दरवाजा बंद कर आग लगा दूँगी। जल के मरोगे सालो, समझे?" परिधि ने कहा और अबकी बार अंततः नीचे उतर गई।

***

अच्छे दिन बता कर नहीं आते। वह यूँ ही किसी सुबह धमक पड़ते हैं। चौथे सेमेस्टर की परीक्षाएँ भी खत्म हो चुकी थीं। प्राइवेट संस्थाओं की सबसे अच्छी बात यह होती है कि वे अपने बच्चों को फर्स्ट डिवीजन देने में कोताही नहीं करतीं। प्रोजेक्ट के चालीस परसेंट का वेटेज इन्हीं बुरे

दिनों को देखकर बनाए गए होते हैं। पिछले तीन सेमेस्टर के रिजल्ट से ही जाहिर था कि हम दोनों के रिजल्ट्स ग्रेडिंग सिस्टम के हिसाब से भी 7 तो हो ही जाएँगे। मुझे रिजल्ट की चिंता वैसे भी नहीं थी। मैं तो अपनी ट्रेनिंग के इंतजार में था। चिंता तो राहुल को भी नहीं थी। उसे कभी चिंता हुई ही नहीं या अगर हुई भी तो उसने कभी जाहिर नहीं किया। बस एक अंतर यह जरूर था कि अब वह नियमित रूप से जॉब ओपेनिंग पर ध्यान रखने लगा था। एक्सेंट, HT जॉब्स और इम्प्लॉइमेंट न्यूज वह नियमित रूप से देखने लगा था और साथ-ही-साथ उसने बाल कटवाने भी बंद कर दिए थे। मुझे पहले ऐसा लगा कि राहुल भी मेरी तरह ज्यू-फ्रो हेयर स्टाइल रखना चाहता है; मगर ऐसा संभव न था। एक तो उसके बाल सिल्की थे और दूसरे वो मेरे हेयर स्टाइल को घोसला कह मजाक उड़ाता था इसलिए वो खुद ऐसा करेगा इसकी उम्मीद कम ही थी। वैसे भी वह क्या सोचकर ऐसा कर रहा है, जब तक वह खुद न बता दे तब तक समझ पाना किसी के बस की बात नहीं थी। छत पर टहलता उस रोज मैं ऑर्डर किए हुए पिज्जा का इंतजार कर रहा था जब राहुल दौड़ता हुआ मेरे पास आया।

"झाड़ी झाड़ी, साले ये देख।" राहुल ने बदहवासी से कहा।

"अब क्या ओपेन एयर शो दिखाओगे। चलो भीतर। वही देख लेंगे तुम्हारी लेक्सी लीजर को।" मैंने पॉर्न फिल्म समझते हुए कहा।

"अबे लेक्सी लीजर नहीं; मेरा फ्यूचर है भाई।" राहुल ने तपाक से लैपटॉप मेरी जाँघों पर रख दिया।

"मतलब? अबे लैपटॉप बहुत गरम है बे!" मैंने उसे देखते हुए पूछा।

"मतलब ये, ये देख। मैंनेजमेंट ट्रेनी की वैकेन्सी का ड्राफ्ट!" राहुल ने कहा।

"ये पहेली में बात न अपनी कॉल सेंटर वाली रानी से करना। हमको सीधा-सीधा बताओ।" मैंने खीझकर कहा। लैपटॉप की गरम बैटरी से मेरी जाँघ झुलस सी गई थी।

"हाईवे अथॉरिटी में मैंनेजमेंट ट्रेनी की वैकेन्सी आने वाली है।" राहुल ने चमकती आँखों से कहा।

"आने वाली है। मतलब अभी आई नहीं?" मैंने पूछा।

''नहीं।'' राहुल ने फिर कहा।

''तो तुझे कैसे पता?'' मैंने पूछा।

''वही तो बता रहा हूँ। सुन, तुझे याद है। मैंने महिका के लैपटॉप में key-logger सेट कर दिया था।'' राहुल ने समझाते हुए रुक-रुककर कहा।

''हाँ, तुमको उसकी सुचिता की चिंता लगी थी।'' मैंने मजाक किया।

''भक साले, बात सुनो। वो लैपटॉप दरअसल उसके बाप का था और वो उस दिन उसी लैपटॉप से ऑनलाइन थी। हम तो उसी में key-logger डाल दिए थे। कुछ दिन बाद ही पता लग गया कि लैपटाप बूढ़ी हड्डी का है। साला बूढ़ा या तो क्रिकेट का वीडियो सर्च करता था या फिर सिल्क स्मिता का फोटो। कुछ और काम ही नहीं करता था और फिर महिका के साथ मेरी ऐसी-तैसी भी हो गई थी। इसलिए हम इस पर ध्यान देना छोड़ दिए थे; लेकिन key-logger हटाए नहीं थे। आज महिका के पापा का पी.ए. उसको एक लेटर मेल किया। उसमें गलती देखकर पहले तो उसको अंग्रेजी में प्यार किया; फिर उस ड्राफ्ट को री-टाइप कर के भेजा कि इसका ऐसा प्रिंट निकाल के कल हमको ऑफिस में दिखाना जो री-टाइप किया है। वो तुम्हारे सामने है।'' राहुल ने एक-एक शब्द पर जोर देते हुए कहा।

''तो ये कौन-सा तुम्हारा ज्वॉइनिंग लेटर टाइप कर दिया है पंडित कि साँस और खाँस दोनों चलने लगी है तुम्हारी।'' मैंने लैपटॉप देखते हुए कहा।

''ज्वॉइनिंग लेटर ही है झाड़ी। ध्यान से देखो।'' राहुल ने लेटर पर उँगलियाँ फिराते हुए कहा।

''सिम्पल-सा जॉब एप्लिकेशन का ड्राफ्ट है! इसमें क्या खास है इतना?'' मैंने लेटर को देखते हुए कहा।

''तुम बैल है। ध्यान से देखता तो तीन बातें दिखती।'' राहुल ने कहा।

''कौन-कौन-सी?''

''याद करो उस दिन महिका रेस्टोरेंट में बताई थी कि उसके पापा रिटायरमेंट से पहले उसे हाईवे अथॉरिटी में प्लेस कर देना चाहते हैं और वैसे भी वो हमसे यह बात कई दफा कही है। इसलिए सिर्फ दो सीट है और उसमें से भी एक वुमेन के लिए रिजर्व्ड है। मतलब साफ है कि ये पोस्ट महिका के

लिए निकाली गई है।'' राहुल ने कहा।

''बेवकूफी भरा इनफेरेंस है। फिर भी आगे कहो; क्या कहना चाहते हो।'' मैंने राहुल से कहा।

''बात को समझो, वो सिर्फ एक सीट, वो भी वुमेन के लिए रिजर्व्ड नहीं निकाल सकता था इसलिए दो सीट निकाला।'' राहुल ने कहा।

''आगे कहो।'' मैंने अनमने से कहा।

''दूसरी बात, ध्यान से देखो। वैकेन्सी का एड सिर्फ दो न्यूज पेपर में देने को कहा है। वो भी स्पेसिफिकली न्यूज पेपर का नाम मेंशन कर के। देखो इसमें से एक का तो नाम भी लोग नहीं सुने होंगे तो सर्कुलेशन क्या खाक होगा!'' राहुल ने उँगली रखकर पेपर का नाम दिखाते हुए कहा।

''सरकारी नियम है। कम-से-कम दो पेपर में एड देना होता है।'' मैंने कहा।

''तो किसी बड़े न्यूजपेपर में क्यों नहीं! बूढ़ा अपने पोजीशन का फायदा उठा रहा है और कुछ नहीं। और देखो फॉर्म भरने के लिए दिन भी केवल सात है। मतलब कम-से-कम लड़के भर पाएँ।'' राहुल ने कहा।

''ठीक तो है भाई, अंकल अपनी डॉटर के लिए कर रहा है जुगाड़। तुझे क्या चुल है?'' मैंने सवाल किया।

''तीसरी बात तो सुनो, सबसे इम्पोर्टेंट बात ये कि जरा गौर से इसेंशियल-क्वॉलिफिकेशन देखो। उसमें लिखा है- एमबीए विथ डिप्लोमा इन साइबर सेक्योरिटीज!''

''धत साला, ये कौन-सा कॉम्बिनेशन हुआ?'' मैंने हाथ पर हाथ मारते हुए कहा।

''यही तो, यही तो मेन बात है। ये कोई नॉर्मल कॉम्बिनेशन तो है नहीं! बहुत शातिराना तरीके से किया गया कॉम्बिनेशन है। एमबीए करने वाले साइबर सेक्योरिटीज में डिप्लोमा क्यों लेंगे?'' राहुल ने कहा।

''सही बात है।'' मैंने हामी भरी।

''महिका के पास ये डिप्लोमा है। उसने मुझे बताया था कि उसने कभी यूँ ही ये कोर्स कर लिया था। अधिकांश लोग तो इस क्वॉलिफिकेशन सेक्शन में ही छँट जाएँगे। तो ये श्योर रहा कि वैकेंसी उसी के लिए निकाली गई है।'' राहुल ने कहा।

''हाँ, श्योर रहा। लेकिन पंडित ये भी तो देखो कि जो क्लॉज सबको डिबार कर रहा है वही क्लॉज तुमको भी तो डिबार करेगा। तुम्हारे पास ही डिप्लोमा इन साइबर सेक्योरिटीज कहाँ है!'' मैंने वाजिब सवाल किया।

''यही तो कमाल है झाड़ी। जिसके पास डिप्लोमा नहीं होता उसके पास बटुक होता है।''

''मतलब?'' मैंने आश्चर्य से पूछा।

''तुमको याद है जब बटुक सस्पेंड हुआ था। तब समद अली की सिफारिश से फिर ज्वॉइन किया था?''

''हाँ याद है। उसी दिन तो बटुक बाबू, डोडा बर्फी लिए बिना एडी गार्ड पहने सीधा पवेलियन में घुस गए थे।'' मैंने कहा।

''हाँ, वही वो सिफारिश फ्री में नहीं लगा था झाड़ी।'' राहुल ने थप्पड़ के डर से मुझसे दूर जाते हुए कहा।

''तो फिर! तुम बटुक से पैसा लिया था?'' मैंने भौंहें तानते हुए पूछा।

''नहीं पैसा नहीं, उसके बदले, हम उससे साइबर सेक्योरिटी का डिप्लोमा लिए थे।'' राहुल ने अब थप्पड़ के डर से दोनों हाथों से चेहरा छुपाते हुए कहा।

''साले डायन भी सात घर छोड़ देती है। तुम अपने ससुर का ही हजामत कर दिए!'' मुझे हँसी आ गई थी।

''मदद कर दो झाड़ी। मेरा भी घर बस जाएगा यार। मेरे बाबू भी शान से कहेंगे कि बेटा सरकारी नौकरी करता है।'' राहुल ने फिर नाटक शुरू किया।

''तो पढ़ाई कर।'' मैंने कहा।

''पढ़ाई कर के क्या होगा झाड़ी! नौकरी तो बाल बढ़ाने से मिल जाती है यार।'' राहुल ने फिर वही बात दुहराई।

''मरो साले।'' मैंने कहा।

***

राहुल को बचपन से जानने के कारण मुझे विश्वास था कि वह जो भी कह रहा है उसमें कुछ बात जरूर है। फिर भी अगले दो महीने तक जब भी

मुझे समय मिलता मैं उसे रीजनिंग बताता रहता। कॉलेज खत्म हो ही गए थे और मेरी ट्रेनिंग के पेपर अभी तक आए नहीं थे इसलिए मैं भी बिल्कुल खाली था। इन दिनों परिधि ने भी छत पर आना कम कर दिया था। बस दोपहर में अगर वो चाय बनाती तो प्लास्टिक के कप में दो चाय रख जाती थी। इन्हीं दिनों राहुल बहुत सारी चीजें ऑनलाइन ऑर्डर करने लगा था। पैकेट देखने से यह तो मालूम हो जाता कि सामान चीन से मँगवाई गई है। लेकिन मैंने उन्हें कभी खोलकर नहीं देखा। एक दिन यूँ ही जब मैं राहुल को रीजनिंग समझा रहा था, उसने कहा,

"झाड़ी पता है चीन, भारत का पड़ोसी क्यों है?"

"क्यों?" मैंने सीधा ही कहा। राहुल से जिरह करने से अच्छा हथियार डाल देना था।

"क्योंकि हमको मैनेजर बनना है।" राहुल ने ठीक मेरे पास आते हुए मेरे हाथों में एक घड़ी बाँधते हुए कहा।

"ये क्या है?" मैंने घड़ी की ओर देखते हुए पूछा।

"यही तो लेटेस्ट चाइनिज हथियार है; जिससे भाई लोग मेडिकल और इंजीनियरिंग एक्जाम में सेटिंग करते हैं। इसको ब्लूटूथ सेटिंग कहते हैं। अब हमारी सेटिंग होगी।" राहुल ने कहा।

"तभी हम कहें कि साले तुम पढ़ क्यों नहीं रहे हो। और सुनो पंडित ये सब डरावना चीज हमको मत दिखाओ।" मैंने हाथ झटकते हुए कहा।

"तुमको कुछ भी नहीं करना है। सब हम करेंगे। तुम बस घर में बैठना।" राहुल ने कहा।

"तुमको ये सब कैसे पता चलता है बे?" मैंने पूछा।

"सुनो झाड़ी। हमलोग बहुत खुशकिस्मत वक्त पर बड़े हुए हैं। जॉब के लिहाज से यह सबसे आसान वक्त है। डेव्लप्ड कंट्रीज की देखादेखी हमने हर चीज में इन्फॉर्मेशन टेक्नोलोजी को अपना तो लिया है। लेकिन उसको यूज कर पाने की दक्षता हममें नहीं है अभी। न ही लोगों को ज्ञान है। बटुक शर्मा का एक्जाम्पल तुम्हारे सामने है। आधे से अधिक लोग बूढ़े हैं जो न तो सीख पाएँगे; ना ही सीखना चाहते हैं।" राहुल ने समझाते हुए कहा।

"ऐसे खतरे वाले काम सोचता क्यों है भाई तू?" मैंने राहुल से कहा।

''देखो झाड़ी, हम हकीकत जानते हैं और जमीनी हकीकत यह है कि हम हैं भुसकोल। पढ़ के हमसे कुछ नहीं उखड़ेगा ये तुम भी जानते हो। तो हमको अपने दिमाग से ही कुछ करना होगा।'' राहुल ने कहा।

''और पकड़े गए तो?'' मैंने पूछा।

''फिर वही बात। ये हुआ तो वो हो जाएगा; इसको गणित में प्रोबैबिलिटी कहते हैं झाड़ी। और गणित की तेरहवीं तो हम बारहवीं में ही कर चुके हैं।'' राहुल ने फिर मुस्कुराते हुए कहा। उसकी इस अजीब मुस्कुराहट को मैं पहचानता था। जब उसे मुझसे कुछ काम लेना हो जो गलत हो तो राहुल ऐसे ही मुस्कुराता था।

''ऐसे मुस्कुरा क्यों रहा है! हम कुछ नहीं करेंगे; समझ लो।'' मैंने पहले ही पल्ला झाड़ते हुए कहा।

''हलवा हैं झाड़ी। कोई खतरा नहीं है। इन्फॉर्मेशन टेक्नालजी के इन लूप होल्स को लोग अभी जानते ही नहीं हैं। हम जानते हैं। जब तक ये जानेंगे। हमारा वक्त निकल चुका होगा। अभी इन चीजों को जानने और पकड़ने में इन्हे चार-पाँच साल लगेंगे। तब तक तो हम कंपनी के लोन से मकान भी बुक करवा चुके होंगे।'' राहुल ने हँसते हुए कहा।

''हम नहीं करेंगे। वर्ल्ड कप शुरू होने वाला है सचिन का लास्ट वर्ल्ड कप होगा। जब से होश संभाले हैं पढ़ाई की वजह से चैन से क्रिकेट नहीं देख पाए हैं। अभी मौका मिला है तो क्या चाहते हो साले कि जेल में क्रिकेट देखें।'' मैंने सीधा कहा।

''दोस्त के लिए कर दो झाड़ी।'' राहुल ने घुटनों पर बैठते हुए कहा।

''एकदम नहीं!'' मैंने फिर दृढ़ता से कहा।

''दोस्ती के लिए कर दो झाड़ी!'' राहुल ने अब और मीठी आवाज में कहा।

'एल न चाटो न साले! कह दिए नहीं करेंगे तो नहीं करेंगे।'' मैंने कहा।

''परिधि के लिए कर दो। मेरी शादी के लिए कर दो।'' राहुल ने कहा।

''उसी से क्यों नहीं करवा लेते हो साले!''

''शादी करेंगे उससे। कुछ तो इज्जत रहने दो उसकी नजर में मेरी।''

''शादी करेगा ना?'' मैंने फिर पूछा।

''हाँ बे, उसी लिए तो बाल बढ़ा रहे हैं।'' राहुल ने कहा।

''ठीक है। करना क्या होगा?'' मैंने बुझे मन से ही पूछा।

''टाइम आने पर बताएँगे। अभी बस जब तक एक्जाम डेट नहीं आता है तब तक कुछ पढ़ा दो।''

***

एक्जाम का दिन भी आ गया। अलसुबह राहुल ने एक शर्ट निकालकर पहन ली। वह दरअसल एक ब्लूटूथ स्टिच्ड शर्ट थी; जिसका स्पीकर गेंहू के दाने के बराबर था। राहुल ने वो स्पीकर अपने कान में बिल्कुल भीतर तक डाल दिया। वह बार-बार बाल बढ़ाने की बात इसीलिए करता था ताकि लंबे बालों से कान ढक जाएँ। लंबे बालों के कारण उसके कानों का दिख पाना ही असंभव था; माइक्रो स्पीकर तो किसी हालत में नहीं दिखता। हालाँकि परीक्षा देने राहुल जा रहा था; फिर भी डर मुझे लग रहा था। एक तो काम ही गलत था। दूसरे मैंने ऐसा काम पहले कभी किया नहीं था।

''पंडित, क्या करवा रहे हो बे। हमको डर लग रहा है।'' मैंने कहा।

''तुमको कुछ भी नहीं करना है। एक बार फिर ध्यान से सुनो। एक्जाम ठीक दस बजे शुरू होगा। तुम बस पाँच मिनट बाद हमको फोन कर देना। ये जो घड़ी मेरे कलाई में है। ये मोबाइल है। जो साइलेंट मोड पर रहेगा। देखो, हम सब सेट कर दिए हैं पहले ही। ये जो मोबाइल वॉच है ना; इसके कैमरा से कलाई टेढ़ी करके हम बस क्वेश्चन पेपर का फोटो खींच लेंगे। वो फोटो sugersync के जरिये डायरेक्ट मेरे मेल पर आ जाएगा। जो हम लैपटाप में खोल के रखे हैं। जब सारे पेपर तुम्हारे पास मेल में आ जाएँ तो तुम सॉल्व कर के हमको बता देना।'' राहुल ने कहा।

''लेकिन बताएँगे कैसे?'' मैंने पूछा।

''ये देखो। ये माइक्रो स्पीकर है। जो भी तुम बताओगे वो सारा आन्सर इस स्पीकर के जरिये हमको सुनाई देगा जो हम कान में डाल लिए हैं क्योंकि मेरा ये वॉच मोबाइल ऑन रहेगा ही।''

''और अगर तुम फोटो नहीं खींच पाया तो?'' मैंने राहुल की घड़ी को उलटते-पलटते हुए कहा।

''तो भाई, फिर हम कोई फर्रे तो बनाए नहीं हैं। एक घड़ी ही तो पहनी है। किसी के बाप को पता नहीं चलेगा कि इसमें मोबाइल है। अगर ज्यादा डर लगे तो उतारकर पॉकेट में रख लेंगे। और इंविजिलेटर मेरी जुल्फों की लट उठाकर मेरी कान की बाली तो चेक करेंगे नहीं। अभी उनको यह सब समझते दो-तीन साल लगेंगे। तब तक हम 20-25 सैलरी उठा लिए रहेंगे। समझा।'' राहुल ने कहा।

''यहाँ फट के चबूतरा हुआ है साले। दिमाग काम करना बंद कर चुका है; कद्दू समझ में आएगा।'' मैंने कहा।

''भाई बहुत सिम्पल है। एकदम मक्खन, एक बार और सुन। तुम हमको फोन करोगे। हम कलाई टेढ़ी कर के क्वेश्चन पेपर का फोटो खींच लेंगे। वो सिंक होकर मेरे मेल में आ जाएगा। तुम हमें आंसर बताओगे; जो मेरे कान में ठेले गए माइक्रो ब्लूटूथ स्पीकर से सुनाई देगा। अब इससे आसान भी कुछ होगा क्या?'' राहुल ने कहा।

''फिर भी, डर लग रहा है पंडित।'' मैंने कहा।

''तो फिर थोड़ा डर ही लो। साला डरना हमको चाहिए। नौकरी, छोकरी सब दाँव पर है और डर तुम रहे हो। चलो अब सो जाओ। कल का दिन वैसे ही बोझिल होगा।'' राहुल ने कहा और बिस्तर पर औंधा लेट गया।

***

अगली सुबह नींद जल्दी खुल गई; लेकिन राहुल मुझसे पहले ही उठ गया था। मैंने देखा कि उसने लैपटॉप पर विकिपिडिया, विकिमैपिया, जेनेरल नॉलेज जैसे कई वेब पेज खोल रखे हैं। मैं जब नहाकर वापस आया तो राहुल कोई ऑनलाइन डिक्शनरी डाउनलोड कर रहा था। उसे ज्यादा उत्सुक देख कर मैंने पूछ ही दिया–

''इतनी तैयारी में तो वैसे भी निकल जाता पंडित!''

''लेकिन मेरी वाली बात नहीं रहती ना झाड़ी।'' राहुल ने ऑनलाइन डिक्शनरी इन्स्टाल करते हुए कहा।

''हाँ और पता नहीं क्यों पंडित; लेकिन अब डर नहीं लग रहा है।'' मैंने कहा।

''रात भर में कौन-सा शिलाजीत पी लिए बेटा।'' राहुल ने ब्लूटूथ

स्टिच्ड टी शर्ट पहनते हुए हुए कहा।

"बेस्ट ऑफ लक पंडित।" मैंने राहुल से गले मिलते हुए कहा।

"आराम से झाड़ी।" राहुल ने मुझको खुद से दूर करते हुए कहा-

"साले इसके कॉलर में ही ब्लुटूथ स्टिच्ड है। कुछ हिलडुल गया ना, तो भर एक्जाम आयं-आयं करते रह जाएँगे।"

"और स्पीकर?" मैंने पूछा।

"ठेल रहे हैं, ये देखो। ये कान के बूँदे मैंने अपने काले घने बाल की पीछे गुमटी की तरह छिपे कान में घुसा लिए।" राहुल ने अपने बाएँ कान में गेंहू के दाने से भी छोटे उस ब्लूटूथ स्पीकर को छिपाते हुए कहा।

"सुनाई तो देगा ना, इतना छोटा है!" मैंने माइक्रो स्पीकर की साइज देखते हुए शंका जाहिर की।

"तू बोलेगा तो जरूर सुनाई देगा! बचा लियो भाई! चलता हूँ। गेटिंग लेट।" कहकर राहुल एकबार फिर मुझसे गले मिलकर एक्जामिनेशन सेंटर के लिए निकल गया। मैं सजग होकर लैपटॉप के ठीक सामने बैठ गया। एक-एक पल काटना भारी हो रहा था। मैं कितनी दफा बाथरूम दौड़ा मुझे याद भी नहीं।

परीक्षा शुरू होने के ठीक पाँच मिनट बाद मैंने भगवान का नाम लेकर राहुल को फोन किया; लेकिन तीन-चार बार रिंग होने के बाद फोन कट गया। मैं डर गया। मुझे यह भय सताने लगा कि कहीं राहुल फोन साइलेंट मोड में करना भूल तो नहीं गया और क्लास में अचानक मोबाइल की आवाज की वजह से वो पकड़ा तो नहीं गया। अगर ऐसा हुआ तो सारा खेल शुरू होने से पहले न सिर्फ बिगड़ जाएगा बल्कि राहुल को पुलिस गिरफ्तार भी कर सकती है। मेरी हथेलियाँ पल भर में पसीने से तर हो गईं। धड़कनें धौंकनी हो गईं। मेरे दिमाग में यह डर घर कर गया कि राहुल कहीं फँस तो नहीं गया। अगर वो नहीं भी फँसा होगा और इनविजिलेटर उससे पूछताछ ही कर रहे होंगे और इसी बीच मैंने फिर कॉल कर दी तो राहुल निश्चित ही फँस जाएगा। अच्छा यही रहे कि राहुल परीक्षा में वही लिखे जो उसे आता है। यही सब सोचते हुए मैंने राहुल को दुबारा काल न करने का निश्चय किया।

मैं अभी लैपटॉप छोड़कर उठने ही वाला था कि राहुल के मेलबॉक्स ने पिंग किया। उस मेल के साथ अटैचमेंट भी थी। मेरे हाथ-पैर बर्फ हो

गए। मैंने देखा कि राहुल के एक-एक कर तीन मेल आए हैं। मैंने उन्हें खोला तो जड़वत रह गया। सुगरसिंक से आए हुए वह मेल क्वेश्चन पेपर के फोटोग्राफ ही थे। हालाँकि फोटो की क्वॉलिटी ठीक नहीं थी और टेढ़ी भी थी; मगर फिर भी सारे क्वेश्चन साफ दिख रहे थे। मेरे देखते-देखते ही तीन मेल और आ गए।

मैंने सभी इमेज को डेस्कटॉप पर सेव किया और एक-एक कर क्वेश्चन सॉल्व करने में लग गया। मेरी तैयारी के हिसाब से सवाल सारे बचकाने ही थे। इसलिए मुझे उन्हें सॉल्व करने में ज्यादा वक्त नहीं लगा। फिर भी जिन सवालों में दो राय थी उसके लिए मैंने नेट का सहारा लिया और सही जवाब ढूँढ़ लिए। मैंने जल्दी-जल्दी में सारे सवाल हल किए उनके आन्सर के ऑप्शन टिक किए और फिर राहुल को फोन किया। अबकी दो रिंग के बाद ही फोन रिसीव हो गया।

''हैलो।'' मैंने कहा। लेकिन उधर से कुछ आवाज नहीं आई।

''हैलो पंडित, भोसड़ी के। कुछ तो बोलो!'' मैंने खीझकर कहा। अबकी बार भी कोई आवाज नहीं आई। मुझे राहुल पर बहुत गुस्सा आ रहा था। एक तो पहले फोन नहीं उठाया और अब फोन उठाकर जवाब ही नहीं दे रहा। पता नहीं सुन भी पा रहा है या नहीं। मैं खुद में सोच रहा था।

''हेलो...हेलो। लगता है आवाज नहीं आ रही। काट के दुबारा करता हूँ।'' अभी मैं इतना बुदबुदाया ही था कि तभी दूसरी ओर से राहुल की आवाज सुनाई दी –

''Sir! This is examination hall and no one is supposed to talk here.''

राहुल की यह बात सुनते ही मैं खुश हो गया। यह दरअसल मेरे लिए मैसेज था कि राहुल एक्जामिनेशन हाल में है और वो मेरे हैलो का जवाब नहीं दे सकता। यह भी कि वो मुझे सुन पा रहा है और मुझे जवाब बताते जाने हैं। साथ-ही-साथ मुझे उसके समझ की दाद भी देनी पड़ी। जैसे ही उसने सुना कि मैं फोन काट रहा हूँ उसने टीचर के बहाने से मुझे इस बात का आभास दिया कि वो मुझे सुन रहा है। मुझे अपनी बेवकूफी पर झेंप भी आई कि मैं राहुल से हेलो का जवाब चाह रहा था जबकि मैं जानता था कि वो परीक्षा हाल में बैठा है।

“जियो पंडित, क्या तरकीब लगाए हो यार। हम तो फोन काटने वाले थे। भाई, पेपर मिल गया है। लगभग सब का जवाब मिल गया है। सर्कल भरना शुरू करो और बायाँ हाथ अपने गाल पर टिकाकर बैठो। घड़ी और शर्ट का कॉलर नजदीक रहेगा तो आवाज की क्लियरिटी रहेगी।” मैंने थोड़ी देर पहले ही नेट पर पढ़ा ज्ञान बघारा।

“सुनो, जिस सवाल का ऑप्शन बता रहे हैं उसके सर्किल में डॉट करते जाओ। बाद में पूरा भर लेना।” कहते हुए मैंने उसे सही ऑप्शन बताने शुरू किए। अगले लगभग आधे घंटे में मैंने राहुल को 250 में से 220 मार्क्स के आंसर बता दिए। आते हुए सारे जवाब बता देने के बाद मैंने कहा–

“यार पंडित, पेज नंबर चार के लास्ट का दो सवाल का फोटो बहुत धुँधला आया है। अब फिर से भेजना तो पॉसिबल नहीं होगा। इनका कुछ कर सकता है क्या?”

मेरे इतना कहते ही राहुल ने इनविजिलेटर से जरा जोर से ही कहा–

“सर, चंद्रचूड़ कमिटी और ऐंटासिड के केमिकल नेम वाले क्वेश्चन के ऑप्शंस गलत हैं।”

मैं यह सुनते ही समझ गया कि यह सवाल इनविजिलेटर के लिए नहीं बल्कि मेरे लिए है। क्योंकि यही दोनों सवाल पेज नंबर चार के अंतिम दो सवाल थे।

“बवाल काट दिए हो आज तो पंडित। कमाल किए हो। लो पहले आंसर लिखो–Chandrachur committee is associated with match fixing and antacid base is Magnesium Hydroxide. ” मैंने कहा।

“Thank you sir.” राहुल ने इनविजिलेटर के बहाने शायद मुझे कहा।

“चलो, अब सारा कालिख भर लिए हो तो पेपर जमा कर के बैठो। हम अब फोन बंद कर रहे हैं। बाथरूम जा रहे हैं। साले घंटा भर से दबा के बैठे हैं।” कहते हुए मैंने मोबाइल डिस्कनेक्ट कर दिया। इतनी सुबह उठने की आदत नहीं थी इसलिए अब भी उबासी मुझे घेर ही रही थी। मैंने लैपटॉप समेटा और सो गया।

दोपहर को जब राहुल घर आया तो दरवाजा खोलते ही उसने मुझे गले

से लगा लिया और कहा –

"कहना तो नहीं चाहिए; फिर भी थैंक यू झाड़ी!"

"क्यों नहीं कहना चाहिए। जो इच्छा हो वो कहो। चाहो तो झुक भी जाओ।" मैंने मजाक किया।

"पता है, यहाँ से तो भाषण झाड़ के गए। वहाँ जाते ही सूख गया।" राहुल ने कहा।

"क्यों, ऐसा क्या देख लिया!" मैंने कहा।

"अरे! पूरे क्लास में बस पाँच लड़के। इमैजिन करो। एक हम, एक महिका बाकी और सिर्फ तीन लड़के। सोचो बुड्ढा क्या तरकीब लगाया था।" राहुल ने पानी पीते हुए कहा।

"महिका कुछ कही ?" मैंने पूछा।

"नहीं, पहले देख के हैरान जैसा कुछ हुई। फिर अपने पेपर्स में लग गई।"

"और पहली दफा में फोन क्यों नहीं उठाए थे साले ? हम डर गए कि तुम धरा गए!"

"नहीं भाई, घबराहट और जल्दी में ग्रीन की जगह रेड साइन स्वैप कर दिए।" राहुल ने हँसते हुए कहा।

"अब ?" मैंने पूछा।

"अब तुम फौज की तैयारी करो; हम मौज की तैयारी करते हैं।" राहुल ने शर्ट उतारते हुए कहा।

"परिधि को बताए ?" मैंने पूछा।

"नहीं भाई। वैसे ही इतना सपना देख चुकी है। और जोड़ लेगी। रिजल्ट आने पर बताएँगे।" राहुल ने कहा।

"अबे! इंडिया-नीदरलैंड का मैच है बुधवार को; फिरोजशाह कोटला में। चलेगा देखने ?" मैंने राहुल से पूछा।

"इतने बेकार नहीं हैं अभी। छोटू को लेके चले जाओ। दुआ देगा।" राहुल ने सीधा ही कहा।

"दुआ नहीं; टिकट देगा। वही तो साला कहीं से टिकट का जुगाड़ कर के लाया है। कह रहा है हमको कोई जरूरी काम आ गया आप चले जाइए।

चलो ना! वर्ल्ड कप है साले।'' मैंने कहा।

''देखो झाड़ी, मेरा वर्ल्ड और मेरा कप दोनों एक तल्ला नीचे रहता है। और उसको बुधवार को अंसल प्लाजा जाना है।'' राहुल ने परिधि की बाबत कहा और बिस्तर पर औंधा लेट गया।

गुलाम?

जब रिजल्ट घोषित हुआ तो जैसा की अपेक्षित था राहुल मिश्रा और महिका रायजादा का नाम ही सक्सेसफुल कैंडीडेट्स में आया। इंटरव्यू के लिए भी बस इन्हीं दो लोगों को बुलाया गया था; क्योंकि बाकी के कैंडीडेट्स, लिखित परीक्षा के न्यूनतम अंक भी नहीं ला पाए थे। राहुल मिश्रा चयनित हो गए। अपने दिमाग, अपने शॉर्ट कट्स और अपने शातिराना सोच की वजह से ही सही, राहुल मिश्रा अब नौकरीशुदा थे। परिधि को इस बाबत कुछ पता नहीं था। उसे बस ये पता था कि उसे राहुल से शादी करनी है। कैसे करनी है यह राहुल के जिम्मे था। हम चारों ओर से खुशियों से घिरे हुए थे। एक हफ्ते पहले ही भारत क्रिकेट विश्व कप जीत चुका था। मध्यवर्गीय जरूरतों के लिहाज से हमारा भविष्य सुरक्षित भी हो चुका था। विश्व कप की जीत का खुमार तारी था। मगर हर खुशी की मियाद तय है और हर खुमार को उतरना बदा है। हमारी भी खुशी उस वक्त काफूर हो गई जब हम छुट्टियों में घर जाने के लिए सामान बाँध रहे थे और दरवाजा की कुंडी बजी। राहुल ने झट से दरवाजा खोला तो देखा की सामने बटुक शर्मा और परिधि खड़े थे! दोनों के चेहरे पर स्याह उदासी थी।

''अंदर आइए अंकल।'' राहुल ने बटुक शर्मा से कहा।

"बेटे, मेरे साथ पुलिस थाने चलेगा?" बटुक शर्मा ने बिना किसी लाग-लपेट के कहा।

"पुलिस थाने, मेरा चेहरा जर्द हो गया!" चोर को हमेशा भय लगा ही रहता है।

"हाँ बेटे, एफआईआर करानी है।" बटुक शर्मा ने जोर देकर कहा।

"एफआईआर, ये शब्द सुनकर ही मैं जड़वत हो गया।" मुझे कुछ न कहता देख राहुल ने ही कहा –

"हाँ अंकल, जरूर चलेंगे। क्यों नहीं चलेंगे। मगर यह तो बताइए; क्या बात हुई आखिर?"

"पापा के अकाउंट से किसी ने पैसे निकाल लिए हैं।" अबकी बार परिधि ने कहा।

"क्या?" राहुल सचमुच चौंका। वह बात से ज्यादा बात खुल जाने से चौंका। मेरा चेहरा जर्द पड़ गया था। बटुक शर्मा के उम्र के अनुभव के हिसाब से मेरे चेहरे से चोर पकड़ पाना कोई मुश्किल काम नहीं था; मगर चूँकि बटुक शर्मा पैसे के दुख में मुरझाया चेहरा नीचे किए हुए थे इसलिए वो मुझे देख नहीं पाए। और क्योंकि ऐसी स्थितियों में गिरने का काम राहुल का था इसलिए ऐसी स्थिति से उबरने का संयम भी उसी के पास था उसने पहले खुद के चोर भाव पर काबू पाया और कहा –

"चलिए अंकल, लेकिन पुलिस स्टेशन चलने से पहले हमें आपके बैंक चलना होगा।"

"बैंक! बैंक क्यों?" मेरे मन का सवाल बटुक शर्मा ने ही पूछ दिया।

"अंकल एफआईआर के लिए हमें कुछ डॉक्युमेंट्स की जरूरत तो पड़ेगी; वर्ना उसके बिना पुलिस एफआईआर दर्ज ही नहीं करेगी। इसलिए पहले बैंक जाना होगा जहाँ से रिलेटेड डॉक्युमेंट्स निकालने होंगे और फिर थाने चलेंगे।" राहुल ने कहा। मुझे लगा कि ऐसा कहकर राहुल खतरा कुछ देर के लिए टालने की कोशिश कर रहा है। उसे लगा होगा कि सीधा थाने जाने से पहले यदि कुछ वक्त मिल जाए तो वह मामले को निपटा सके।

"ठीक है बेटा जी। बैंक चलते हैं पहले।" बटुक शर्मा ने बुझे मन से कहा।

"अंकल आप नीचे चलें, मैं कपड़े बदलकर अभी आया।" राहुल ने

कहा।

''जल्दी आना बेटा जी।'' कहकर बटुक शर्मा बाहर निकल गए। परिधि मगर भीतर ही रही उसने आँसुओं से अपनी आँखे भरकर राहुल से कहा-

''पापा जी के साथ रहना। टूट गए हैं कल रात से ही।''

''हाँ, अब तू जा। मुझे कपड़े बदलने हैं!'' राहुल ने कहा।

''कीड़े पड़ेंगे उसे जिसने मेरे पापा के मेहनत के पैसे चुराए हैं। कोढ़ी होकर मरेगा वो साला।'' परिधि ने रोते हुए कहा।

''तू जाएगी या मैं कपड़े उतारूँ!'' राहुल ने चिढ़कर कहा।

''मौज आ रही है ना तुझे? तुझे क्या! पैसे तो मेरे पापा के गए हैं!'' सुबकते हुए परिधि कमरे से बाहर निकल गई। उसके जाते ही राहुल धम्म की आवाज के साथ कुर्सी पर बैठ गया। मैं वैसे ही जड़वत खड़ा रहा। लड़कियाँ कितनी आसानी से रो लेती हैं! लड़के यह उतनी ही आसानी से कर पाते तो कितना बेहतर होता! बटुक शर्मा दुखी होकर भी नहीं रो पा रहे थे और मैं भयभीत होकर भी नहीं रो पा रहा था। राहुल था कि बैठा हुआ था; मगर उसके चेहरे पर आज भी परेशानी की जगह प्रयास था। बच निकलने का प्रयास।

''देख रहा है न, सात हजार रुपया के लिए दामाद को जेल भिजवाएगा बटुक!'' राहुल ने जींस पहनते हुए कहा।

''अब क्या होगा पंडित?'' मैंने राहुल के करीब जाकर पूछा।

''अबे फौजी हो; फौजी की तरह रहो। भौजी न बनो! इतना न घबराओ। सब ठीक होगा। पार्थेनियम हम लगाए थे; हम ही उखाड़ेंगे। तुम बस एक बात ध्यान रखना। किसी से भी ये मत कहना कि हमारी जॉब हो गई है और पुलिस वेरिफिकेशन पेंडिंग है। ठीक!'' राहुल ने कहा।

''हूँ!'' मैंने हामी भरी और सिर उठाकर राहुल को देखा। मेरे सिर उठाने से पहले ही राहुल नीचे उतर गया था।

***

बटुक शर्मा का बैंक अकाउंट कनॉट प्लेस में था। राहुल उनके साथ ही बैंक में दाखिल हुआ और बटुक शर्मा को बैठाकर सीधे सबसे लंबी वाली कतार में लग गया। ऐसा कर के वह कुछ समय जाया करना चाहता था। दो घंटे बाद जब लाइन खत्म हुई तो उसने बटुक शर्मा को आकर बताया कि

दरअसल वो गलत लाइन में लग गया था। इस तरह के केस के लिए उन्हें ब्रांच मैनेजर से मिलना होगा जो कि लंच करने गए हैं। तीन बजे तक आएँगे। बटुक शर्मा थोड़े खिन्न तो हुए; लेकिन राहुल की बात मान लेने के अलावा कोई चारा भी नहीं था। लगभग तीन बजे के करीब राहुल, बटुक शर्मा को लेकर ब्रांच मैनेजर के कमरे में दाखिल हुआ। बैंक मैनेजर ने ओढ़ी हुई हँसी के साथ बैठने को कहा। बैठकर जब राहुल ने देखा कि बटुक शर्मा कुछ बोल ही नहीं रहे तो उसने ही कहा –

"सर! ये मिस्टर बटुक शर्मा हैं। आपके बैंक में इनका अकाउंट है। अकाउंट नंबर ये रहा। सर, इन्हें लगता है कि इनके अकाउंट से किसी ने पैसा विड्रॉ किया है।"

"आप कौन?" ब्रांच मैनेजर ने रेनोल्ड्स पेन का ढक्कन चबाते हुए संशय से पूछा।

"जी, मैं इनका बेटा राहुल।" राहुल ने उसकी आँखों को पढ़ते हुए बिना एक पल की देरी लगाए कहा। बटुक शर्मा ने भी उसकी इस बात का विरोध नहीं किया।

"ओके। देखिए, आजकल इस तरह के फ्रॉड केस बहुत हो रहे हैं। आपलोगों को अपनी आईडी और पासवर्ड बदलते रहने चाहिए।" बैंक मैनेजर ने अकाउंट नंबर अपने स्टाफ को देते हुए कहा।

"हम ठहरे पिछली पीढ़ी के आदमी गुप्ता जी, हमें कहाँ यह सब समझ!" बटुक शर्मा ने दोनों हाथों की हथेलियों को अपनी अज्ञानता जाहिर करने के अंदाज में मोड़ते हुए बैंक मैनेजर से कहा। थोड़ी देर तक कमरे में एक मुर्दा उदासी छाई रही। लगा कि बैंक मैनेजर बटुक शर्मा के पैसे के लिए खुद को ही जिम्मेदार मान रहा है। कुछ देर तक मैनेजर दोनों को साइबर फ्रॉड के बाबत समझाता रहा। थोड़ी ही देर में एक बैंक स्टाफ एक शीट लेकर आया जो उसने बैंक मैनेजर को थमा दिया। बैंक मैनेजर उसपर हाइलाइटर चलाते हुए बोला—

"जी, आपके अकाउंट से 5 अप्रैल को अकाउंट नंबर 1601*****9 को पैसे जम्मू ट्रान्सफर हुए हैं।"

"कितने?" राहुल ने जानते हुए भी पूछा। यह अकाउंट नंबर उसी हवाला वाले का था।

''उनचास हजार।'' बैंक मैनेजर ने पैसे पर हाइलाइटर चलते हुए कहा।

''उनचास हजार!'' राहुल का मुँह खुला-का-खुला रहा गया।

''हाँ बेटे, पूरे उनचास हजार निकाले हैं किसी ने।'' बटुक शर्मा ने मुँह गिराए हुए ही कहा।

''देखूँ जरा?'' राहुल ने बैंक मैनेजर के हाथ से कागज लगभग छीनते हुए कहा। राहुल को लगा कि बैंक मैनेजर ने गलत पढ़ लिया है। मगर मैनेजर सही कह रहा था। पाँच अप्रैल को उनचास हजार रुपये उसी अकाउंट में ट्रान्सफर हुए थे। राहुल के दिमाग में कई सवाल तैर गए। वह अब पसीने और पशोपेश में था। इधर बटुक शर्मा, बैंक मैनेजर से पैसे वापस आने के उपाय पूछ रहे थे; उधर राहुल बार-बार उसी कागज को गौर से देखे जा रहा था। मगर गौर से देखने पर भी पैसे को बदलना नहीं था। अंततः एक गहरी साँस लेकर वह बोला -

''सर इसकी एक कॉपी हमें चाहिए होगी। एफआईआर के लिए।''

''हाँ हाँ, श्योर। ये आपकी ही कॉपी है। और भी किसी तरह की मदद की जरूरत हो तो जरूर बताइएगा।'' बैंक मैनेजर ने कुर्सी से उठकर हाथ बढ़ाते हुए कहा। राहुल बाहर निकल आया। बटुक शर्मा ने अतिरिक्त सहायता के आग्रह के लिए कमरे में ही रुके रहे। राहुल ने बाहर निकलते ही मुझे फोन किया -

''झाड़ी, तूने पाँच तारीख को बटुक के अकाउंट से पैसे निकाले थे क्या?'' राहुल ने धीमी आवाज में पूछा।

''नहीं तो, मैंने तो आज तक नहीं निकाला। जब निकाला है तूने ही निकाला है।'' मैंने कहा।

''Holy shit!'' राहुल ने परेशानी भरी निराशा से कहा।

''क्या हुआ पंडित!'' मैंने डरते हुए पूछा।

''कुछ बहुत बुरा। बहुत ही बुरा। बटुक आ रहा है, बाद में बात करते हैं।'' कहते हुए राहुल ने फोन काट दिया।

***

राहुल के फोन रखने के बाद मैं आशंकाओं, दुःसंभावनाओं के भंवर

में फँस गया। कभी मुझे यह लगता कि राहुल पकड़ा गया है और उसने सब कुछ बता दिया है। हर बार मुझे पुलिस के जीप का सायरन सुनाई देने लगता। कभी मुझे यह भी लगता कि परिधि आकर मेरे चेहरे को घृणा के भाव से देख रही है। कभी मुझे भाग जाना सही उपाय लगता; फिर यह सोचकर रुक जाता कि भागने से चोर के साथ-साथ भगोड़ा भी साबित हो जाऊँगा। मैंने इन्हीं शंकाओं के बीच राहुल को दो बार फोन लगाया; मगर दोनों बार उसका फोन बिजी आया। मुझे कुढ़न भी हुई कि ऐसी स्थिति में भी जाने किससे इतनी देर बातें कर रहा है। इसी डर और शंका में डूबते-उबरते रात हो आई। राहुल और बटुक शर्मा का कोई पता नहीं चला। मेरी आशंका इस ओर भी जाने लगी कि कहीं राहुल को पुलिस स्टेशन में ही रोक तो नहीं लिया। लेकिन फिर खुद इस बात की सांत्वना देता कि अगर ऐसा होता तो परिधि ऊपर आ गई होती। मैं कुछ और फिजूल सोच पाता तब तक सीढ़ियों पर किसी के चढ़ने की आवाज सुनाई दी। मैंने झाँककर देखा तो राहुल था। बटुक शर्मा, घुटनों पर हाथ दिए धीरे-धीरे सीढ़ियाँ चढ़ रहे थे। राहुल भी ऊपर आने के बजाय बटुक शर्मा के घर में ही घुस गया। मुझे पहले तो उसपर बहुत गुस्सा आया। मगर एक दिलासा भी मिली कि चलो आज तो सब कुछ ठीक है। मैं सीढ़ियों पर ही खड़ा रहा और नीचे से आने वाली आवाज सुनने की कोशिश करता रहा। एक बार मन हुआ कि नीचे चला जाऊँ; मगर फिर यह सोचकर कि गलती से भी कुछ गलत ना निकाल जाए, मैं ऊपर ही रहा। लगभग आधे घंटे बाद राहुल ऊपर आया। आते ही उसने जूते खोले और नहाने चला गया। गर्मी के कातिलाना प्रकोप में नहाना एक आम बात थी; लेकिन मुझे जानने की उत्सुकता थी और इस कारण मैं बेसब्र हो रहा था। राहुल थोड़ी देर में नहाकर बाहर आया। वह अभी तौलिये से अपने हाथ पोंछ ही रहा था कि मैंने उसे दरवाजे पर ही घेर लिया।

"सब ठीक तो है न पंडित?" मैंने दरवाजे पर ही राहुल को रोकते हुए पूछा।

"तुझे वर्ल्ड कप फाइनल याद है?" राहुल ने मुझे दरवाजे से हटाकर कमरे के भीतर घुसते हुए कहा।

"पंडित, झाँट न जलाओ! साले सबेरे से मेरी जान अटकी हुई है। ये क्रिकेट क्विज बाद में खेल लेंगे भाई।" मैंने झल्लाते हुए कहा।

"I am serious. जवाब तो दे।" राहुल ने तौलिये से सिर पोंछते हुए

कहा।

''हाँ, भाई पिछले हफ्ते ही हिस्ट्री क्रिएट हुई है। ये भी कोई भूलने की बात है।'' मैंने कहा।

''फाइनल में कुछ असामान्य हुआ था?'' राहुल ने फिर सवाल किया।

''इंडिया जीत गई यही सबसे अनयूजुअल था!'' मैंने झुंझलाहट पर काबू पाते हुए कहा।

''नहीं, कुछ और भी था।'' राहुल ने अबकी शरीर पोंछते हुए कहा।

''क्या?''

''फाइनल में टॉस दो बार हुई थी।'' राहुल ने बैठते हुए कहा।

''हाँ हाँ याद आया। क्राउड के शोर की वजह से अम्पायर पहली बार की कॉल सुन ही नहीं पाए थे।'' मैंने याद करते हुए कहा।

''बिलकुल ठीक, एक बात और। पिछले तीन-चार दिनों से तूने एक बात गौर की?'' राहुल ने कहा।

''क्या?'' मैंने अचरज से पूछा।

''छोटू काम पर नहीं आया है।'' राहुल ने कहा।

''हाँ, क्रिकेट का कीड़ा था। वर्ल्ड कप जीत की खुशी में गिरा पड़ा होगा कहीं। आ जाएगा।'' मैंने कहा।

''वो अब नहीं आएगा।'' राहुल ने फिर बात उलझाई।

''क्या मतलब। क्यों नहीं आएगा?'' मैंने विस्मय से पूछा।

''छोटू पंटर था।'' राहुल ने कहा।

''मतलब, क्या बोल रहा है तू?'' मेरी समझ में कुछ नहीं आया।

''मतलब वो क्रिकेट में सट्टा लगाता था।'' राहुल ने गंभीर होकर कहा।

''क्या?'' मुझे बिजली-सा झटका लगा।

''हाँ भाई।'' राहुल ने तौलिया कुर्सी पर फेंकते हुए कहा।

''अबे कोई गलतफहमी हुई है। उससे कूकर की सीटी तो लगती नहीं थी; क्रिकेट में सट्टा क्या लगाएगा। और जब हमें नहीं पता तो इन सब चीजों के बारे में उसे क्या पता होगा?'' मैंने अब भी अविश्वास से कहा।

''वैसे ही नहीं कह रहा। शाम से पता करते-करते मेरी भी खोपड़ी घूमी

हुई है। बता रहा हूँ। चुपचाप सुन। बीच में मत टोकियो।'' राहुल ने कहा।

''बोल।'' मैंने गाल पर हाथ टिकाते हुए सुनना शुरू किया।

''देख, शातिर दिमाग तो वो पहले से ही था, बस हम भाँप नहीं पाए। पहले वो जिन घरों में काम करता रहा होगा वहाँ से ही उसे इंटरनेट चलाना आता था। वह हमारे यहाँ काम करके भी कुछ पैसे कमा लेना चाहता था। इसके लिए उसने टिकट बनाने की बात कही और हमने उसे गरीब जानकर लैपटॉप की एक्सेस मुहैया करा दी। वह किसी तरह लैपटॉप तक पहुँच चाहता था; ताकि अगर वो कभी लैपटॉप चलाते पकड़ में भी आ जाए तो हम यह समझें कि वो टिकट बना रहा होगा।'' राहुल ने एक साँस में कहा।

''हाँ तो इससे क्या प्रूव हुआ। तू यह कहना चाहता है कि मैंने उसकी irctc अकाउंट खोलकर गलती की?'' मैंने झुँझलाते हुए कहा।

''कहा था ना पूरी बात सुन। बीच में पिपिहरी मत बजाओ।'' राहुल ने कहा।

''अच्छा ठीक तो आगे चल।''

''शुरू-शुरू में तो वह लैपटॉप की एक्सेस केवल कुछ टिकट कराकर पैसे कमाने के लिए ही चाहता था; लेकिन उस दिन मुझसे गलती हो गई जिस दिन मैंने उसे पैसे लाने पालिका बाजार भेज दिया। पालिका बाजार का सतबीर कई धंधे करता है। जैसे हवाला, मैच फिक्सिंग और एन्श्योरेंस फ्रॉड।'' राहुल ने कहा।

''और तुझे यह सब पता था!'' मुझसे रहा नहीं गया और मैंने टोका।

''नहीं भाई, आज ही पता चला।'' राहुल ने आराम से ही जवाब दिया।

''फिर?''

''मैं तो बस एक-दो दफा ही गया था, उसके बाद से तो छोटू ही जाता था। जब छोटू उसके पास रेगुलर जाने लगा तो उसे लगा कि दरअसल यह हवाला छोटू ही करता है।'' राहुल ने एक साँस में कहा।

''अच्छा फिर?'' मैंने पूछा।

''तुझे याद है, मैंने तुझे बताया था कि महिका का बाप बेटिंग साइट्स खँगालता रहता है।'' राहुल ने याद दिलाते हुए कहा।

''हाँ, तूने बताया था। सिल्क स्मिता के फोटो भी।'' मैंने याद करते हुए कहा।

''हाँ, अब जबसे यह वर्ल्ड कप शुरू हुआ तो उसके मेल पर बेटिंग टिप्स आते रहते थे। key logger में सब कुछ पॉप-अप हो जाता है। इस कारण किसी दिन इसे यह टिप्स दिख गई होगी। सतबीर के यहाँ रेगुलर जाने के कारण इसे यह भी पता लग गया था कि सतबीर बेटिंग भी कराता है।'' राहुल ने कहा।

''छोटू को इतना दिमाग था?'' मैंने आश्चर्य से पूछा।

''मुझसे और तुझसे ज्यादा। चराकर चला गया लड़का। सुन तो!'' राहुल ने कहा।

''हाँ बता।''

''वर्ल्ड कप शुरू हुआ। इसी बीच छोटू एक दिन पैसे लाने पालिका बाजार गया। अगले दिन इंडिया-इंग्लैंड का मैच था। इसे इंडिया-इंग्लैंड वाले मैच में मैच टाई होने की टिप मिली थी और इसने मजाक-मजाक में ही 1000 रुपये लगा दिए।'' राहुल ने लैपटॉप ऑन करते हुए कहा।

''तुझे कैसे पता कि इसे इंडिया-इंग्लैंड वाले मैच की टिप मिली होगी?'' मैंने वाजिब सवाल किया।

''मुझे पता था कि तू ये जरूर पूछेगा। दो बातें हैं। पहली ये कि मेरी आज सतबीर से बात हुई तो सारी बातें खुलीं। वो पहले तो मुझे ही छोटू समझ रहा था। मेरे भरोसा दिलाने पर उसने बताया कि टाई जैसे अनिश्चित रिजल्ट पर कोई आदमी सट्टा नहीं लगाता। उस दिन छोटू ने जब टाई पर सट्टा लगाया तो सतबीर भी भौचक रह गया था। मैच टाई ही हुआ। इस अन्यूजुअल रिजल्ट पर एक का ग्यारह का रेट था। इसने ग्यारह हजार रुपये जीत लिए। दूसरी बात, यह देख, 26 फरवरी 2011 की बेटिंग टिप में सुबह-सुबह का मैसेज है : Tomorrow's match : India vs England, going to be a tie.'' राहुल ने महिका के पापा की ईमेल खोलकर मुझे दिखाया।

''जीसस! लेकिन साले के पास बेटिंग में लगाने को एक हजार रुपये भी कहाँ से आए?'' मैंने सिर पर हाथ रखते हुए कहा।

''तेरी और मेरी जेब से। याद है मैंने तुझसे कई दफा कहा कि पैसे रखे थे मगर अब नहीं है। वो पैसे यही निकालता रहा होगा।'' राहुल ने कुछ सोचते हुए कहा।

''हूँ। हो सकता है।''

''कभी सही कभी गलत टिप के कारण यह पैसे जीतता-हारता रहा। भारत वाले सेमी फाइनल में इसे इंडिया के स्कोर की टिप मिली। 260 रन। और इंडिया ने ठीक उतने ही रन बनाए। क्योंकि स्कोर पर जो सट्टे लगते हैं उसपर मार्जिन ज्यादा नहीं होता। फिर भी इसने अब तक 25000 रुपये कमाए।''

''तो क्या भाई ये सारे मैच फिक्स थे?'' मैंने सवाल किया।

''नहीं! ऐसा जरूरी भी नहीं है! हजारों बेटिंग साइट्स हैं। तो लाखों टिप्स भी हैं। उनमें से एक का सही हो जाना तुक्का भी हो सकता है। अब किसका तुक्का लगा और किसकी किस्मत खुली यही तो सट्टेबाजी है। यही तो गेम है।'' राहुल ने कहा।

''क्या भाई? नौकर हजारों कमा रहा था और हम साले चिंदी चोर की तरह रेंट के लिए भी बटुक का बटुआ खँगालते रहे।'' मैंने सिर पकड़े हुए ही कहा।

''वही तो, हम साला आइस-पाइस करते रह गए। वो धप्पा मारकर चला गया साला।'' राहुल ने फीकी हँसी हँसते हुए कहा।

''लेकिन इन बातों में बटुक शर्मा का पैसा कहाँ गया?'' मैंने अचानक ही पूछा।

''वही बता रहा हूँ! असली खेल तो फाइनल में हुआ।'' राहुल ने कहा।

''टॉस वाला?'' मैंने पूछा।

''हाँ, यह अपनी तरह का अलग ही सट्टा होता है; चूँकि प्रोबैबिलिटी दो ही होती है; इसलिए इसपर भी मार्जिन ज्यादा नहीं होता। यह थोड़ा अलग भी होता है। यह कुछ भरोसेमंद पंटर्स के लिए ही होता है; सबके लिए नहीं। इसे एक बंद कमरे में खेलते हैं। ध्यान से सुनना। देख, टॉस फिक्सिंग में सिक्का उछलते ही सट्टा लगाना होता है। छोटू ने अबकी इसी पर दाँव खेला था और वो भी बहुत चालाकी से। वह कमरे में भी इयरफोन लगाकर बैठा था तूने अगर ध्यान दिया हो तो रेडियो पर इंसिडेंस, टीवी से कुछ क्षण पहले होता है। इसलिए जब तक टीवी पर दूसरे लोगों ने सिक्का उछलते देखा तब तक छोटू ने भारत को टॉस जीतते सुनकर भारत पर सट्टा लगा दिया। सब

कुछ ठीक था लेकिन किस्मत ने गेम कर दिया। अम्पायर श्रीलंकन कप्तान की कॉल सुन ही नहीं पाए और टॉस दुबारा करना पड़ा। दुबारा टॉस होने पर श्रीलंका टॉस जीत गई और ये साला एक लाख हार गया।'' राहुल ने रुक-रुककर पूरी बात बताई।

''एक लाख! भैंचो, एक लाख का सट्टा खेल गया। पैसे देता कहाँ से। सोचा तो होता।'' मैंने आश्चर्य से पूछा।

''सोच रखा था। उसने सब सोच रखा था। अव्वल तो उसने हारने का सोचा ही नहीं था। क्योंकि एक तो इस वर्ल्ड कप में इंडिया के टॉस जीतने का बेदाग रिकॉर्ड था। इंडिया बिना टॉस हारे आगे बढ़ती आ रही थी। दूसरे, उसे अपने रेडियो वाली ट्रिक पर पूरा विश्वास था। फिर भी अगर वो सट्टा हार जाता तो 25 हजार उसकी सेविंग्स थी। 25 हजार उसने पिछले सट्टे के जीते थे और 50000 बटुक शर्मा के अकाउंट से।'' राहुल ने कहा।

''मतलब! बटुक शर्मा के अकाउंट से 49000 रुपये निकाले गए हैं?'' मेरी आँखें फटी की फटी रह गईं।

''हाँ, तो ऐसे थोड़े ही छरियाया है बूढ़ा।'' राहुल ने मुसकुराते हुए कहा।

''तूने बटुक को बताई ये बात?'' मैंने राहुल से पूछा।

''नहीं! उड़ता तीर लेने का शौक नहीं है हमको।'' राहुल ने कहा

''भैंचो! इंटरनेशनल खिलाड़ी था भाई ये तो!'' मैंने उँगलियाँ चटकाते हुए कहा।

''हाँ! इतना शातिर कि उसे पता था कि हम जानकर भी यह बात किसी को नहीं बता पाएँगे।'' राहुल ने लैपटॉप बंद करते हुए कहा।

''क्यों! क्यों नहीं बता पाएँगे?'' मैंने कहा।

''देख, पुलिस को तो बताने का सवाल ही नहीं है। पिछला रिकॉर्ड खुल जाएगा और हम झूल जाएँगे। बटुक को भी नहीं बता सकते। अगर बटुक के पास उसका पता होगा और वो उस तक पहुँच जाएगा तो भी हमारी लंका लग जाएगी। उसे यह भी मालूम था कि हमारी जॉइनिंग बाकी है तो हम किसी पुलिस के लफड़े में नहीं फँसना चाहेगे। वक्त और किस्मत दोनों उसके साथ थी।'' राहुल ने लैपटॉप को उलटकर उसके स्क्रू खोलते हुए कहा।

''लेकिन कब तक बचेंगे पंडित, आज नहीं तो कल बटुक थाने में

रिपोर्ट तो जरूर कराएगा! वो फँसा तो हम फंसे।'' मैंने दोनों हाथों से सिर पकड़ते हुए कहा।

''बटुक थाने में रिपोर्ट नहीं कराएगा।'' राहुल ने अंतिम स्क्रू निकालते हुए ठोस विश्वास से कहा।

''क्यों? दामाद को 49000 का शगुन दे दिया क्या बटुक ने?'' मैंने मजाक में अपने मन की बात मिलाते हुए कहा।

''ऐसा ही समझो।'' राहुल ने अब लैपटॉप के भीतर से हार्ड ड्राइव के स्क्रू और ज्वॉइंट्स को खोलते हुए कहा।

''समझाओ बे, छोटुआ दिमाग की जुलूस निकाल दिहीस है। कुछ समझने की शक्ति नहीं है। बार-बार बाबूजी का डंडा और पुलिस का हथकंडा दिमाग में घूम रहा है। सब ठीक तो है न?'' मैंने दिलासा के लिए कहा।

''घबराओ मत झाड़ी, भगवान जबर वाला स्क्रिप्ट लिखे हैं।'' राहुल ने हार्ड ड्राइव का सॉकेट हाथ में लेते हुए कहा।

''ये क्या कर रहा है?'' मैंने चिढ़ते हुए पूछा।

''किया-धरा धो रहे हैं।'' राहुल ने हार्ड ड्राइव के मैगनेट को उखाड़ते हुए कहा। मैं समझ गया कि राहुल लैपटॉप से हर तरह के सबूत मिटा रहा है। मैं फिर अपने पहले सवाल की तरफ लौटा।

''खैर! ये बताओ कि बटुक पुलिस में रिपोर्ट क्यों नहीं करेगा?''

''सुन, हर इंसान की तरह बटुक को पैसा बहुत प्यारा है। लेकिन हर इंसान की तरह ही बटुक को इज्जत ज्यादा प्यारी है।'' राहुल ने हार्ड ड्राइव के प्लेटर्स पर हथौड़ा मारते हुए कहा।

''मतलब!'' मैंने आश्चर्य से भवें सिकोड़ीं।

''मतलब ये कि अभी मैंने तुझे बताया कि सतबीर के बहुत सारे धंधों में एक धंधा इन्श्योरेंस फ्रॉड का भी है। उसने LIC फ्रॉड के लिए मिलते-जुलते नाम वाली एक कंपनी का अकाउंट खोला है। उसी अकाउंट में हमारा पैसा भी हवाला के लिए जाता था। मैंने पैसे भेजते समय यह नाम तो पढ़ा था; लेकिन मुझे बस अपने काम से मतलब था; इसलिए कभी इस पर ध्यान नहीं दिया। अब जब कल बटुक शर्मा के साथ बैंक से बाहर निकल रहा था तो मैंने देखा कि पैसा इस अकाउंट में, जिसका नाम लाइफ इन्श्योरेंस

को-ओपरेटिव है, में ट्रांसफर हुआ है। अचानक ही मेरे दिमाग काम कर गया। मैंने बटुक से पूछा कि क्या उनके पास इन्श्योरेंस कंपनी से बोनस देने के लिए फोन आया था। तो उन्होंने कहा कि हाँ! आया था। मेरा तुक्का काम कर गया।'' बताते-बताते राहुल ने सारा हार्ड ड्राइव चूर कर दिया।

''अच्छा! फिर क्या हुआ?'' मैने कौतूहल से पूछा।

''फिर मैंने पूछा कि उन्होंने आपसे आपका आईडी और पासवर्ड माँगा था। बटुक ने फिर कहा कि हाँ! माँगा था। मगर मैंने सिर्फ आई डी दी। पासवर्ड दे ही रहा था कि फोन कट गया। इतना सुनते ही मेरी खुशी का ठिकाना नहीं रहा। मैंने बटुक को विश्वास दिला दिया कि उसने आपका पासवर्ड सुन के ही फोन काटा था। बटुक जब आना कानी करने लगा तो अपनी बात को पुख्ता करने के लिए मैं बटुक शर्मा को फिर बैंक मैनेजर के पास लेकर गया। मैनेजर ने मेरे झूठ को बटुक शर्मा के सामने कई फ्रॉड केस दिखाकर सच बना दिया। अंततः बटुक को भी विश्वास हो गया कि उनका पैसा इन्श्योरेंस फ्रॉडिए उड़ा ले गए।'' राहुल ने समझाते हुए बात खत्म की।

''भगवान हो साले तुम!'' मैंने खुशी से राहुल को गले लगाते हुए कहा। मेरा डर काफूर हो चुका था; लेकिन अभी आगे की कहानी जाननी थी; इसलिए मैंने राहुल से कहा-

''आगे क्या हुआ?''

''बाहर निकलते ही अभी मैं कुछ और पट्टी पढ़ाता; उससे पहले ही बटुक शर्मा ने कहा कि बेटा पुलिस में जाने पर इज्जत की नीलामी लग जाएगी। सब सोचेंगे कि कितना जाहिल आदमी है। उसपर से पुलिस के पंगे में उनका खर्चा अलग। जैसा कि बैंक मैनेजर कह रहा है कि पैसा मिलना तो है नहीं। तो बेकार में अपनी इज्जत की भद्द पिटवाने से बेहतर है कि इज्जत बचा ली जाए। तू तो जानता ही है कि कॉलोनी में कितनी इज्जत है तेरे अंकल की!'' कहते हुए राहुल के चेहरे पर विजयी मुस्कान तैर गई।

''मतलब! बटुक पुलिस केस नहीं करेगा?'' मैंने खुशी मिश्रित सवाल किया।

''नहीं बे! नहीं करेगा!'' राहुल ने हँसते हुए कहा।

''तुम हरामी टाइप स्मार्ट है पंडित!'' मैंने राहुल को फिर गले लगाते

हुए कहा।

''थैंक यू। चल इसी बात पे शायरी सुना।'' कहते हुए राहुल उठा और एक न्यूज पेपर पर चूरा हो चुके हार्ड ड्राइव को लेकर बाथरूम की ओर बढ़ गया।

''ए गनी दे सीम-ओ-जर वक्त-ए-बला।

*माल-ए-दुनिया जान की खैरात है/''*मैंने भी बाथरूम के दरवाजे पर खड़े होकर ही शेर सुना दिया।

''बहुत बढ़िया! बहुत अच्छा! इसमें बस 'माल' समझ में आया झाड़ी।'' कहते हुए राहुल हँसा और उसने हार्ड ड्राइव का चूरा कमोड में डालकर फ्लश कर दिया।

तुम्हीं हो मेरा शृंगार प्रीतम

उस रोज दो घटनाए हुई थीं! दिन में भूकंप आया था और रात में तूफान। धरती जब काँपी तो लोग अफरा-तफरी में नीचे की तरफ भागे। रात में अचानक जब आँधी उठी तो परिधि छत की तरफ भागी। दिन में लोगों को अपनी जान ज्यादा प्यारी थी; रात में परिधि को सुखाने के लिए डाले हुए कपड़े ज्यादा प्यारे थे। दिन भर भूकंप की वजह से नीचे खड़े-खड़े माँ के पैरों में जो दर्द हुआ तो उन्हें बेसुध नींद आ गई थी। बटुक शर्मा जो प्रेसक्रिप्शन लिए दवा ढूँढ़ रहे थे वो अब तक लौटे नहीं थे। जब तक परिधि छत पर पहुँचती; तूफान के कारण बिजली जा चुकी थी। उसके कपड़े समेटते-समेटते बारिश भी बड़ी-बड़ी बूँदों के साथ आ गई थी। परिधि ने सामने वाले कमरे को देखा और उदास हो गई। उसे गुस्सा आया कि ऐसी स्थिति में भी उसकी मदद करने कोई बाहर नहीं निकला। उसने जैसे-तैसे सारे कपड़े उठाए; अपनी माँ की ही एक साड़ी से अपना सिर और शरीर ढका और नीचे उतरने के लिए सीढ़ियों की तरफ बढ़ने लगी।

लेकिन उसके सीढ़ियों तक पहुँचते-पहुँचते दरवाजा धीमी सी चरचराहट के साथ बंद हो गया। परिधि सहम गई। फिर उसे लगा कि दरवाजा शायद आँधी की वजह से बंद हो गया होगा; लेकिन तभी दरवाजे के बंद होने के साथ-साथ उसे दरवाजे के पीछे एक साया दिखा। वो चिल्लाने ही वाली थी

कि उस साये ने उसके मुँह पर कसकर हाथ रख दिया। कसमासाते हुए ही परिधि जोर से दाँत काटने ही वाली थे कि बिजली चमकी। बिजली के रोशनी में उसने उस चेहरे को देखा।

वो राहुल था। उसे देखते ही परिधि को कुछ राहत हुई और उसने खुद को ढीला छोड़ दिया। राहुल ने जैसे ही उसके मुँह पर से अपने हाथ हटाए; गुस्साई हुई परिधि ने उसे एक थप्पड़ जड़ दिया –

"What is this ? अगर ये मजाक था तो तेरे इस मजाक ने मेरी जान ले लेनी थी।" परिधि ने कहा और गिरे हुए कपड़े समेटने लगी। बारिश और तेज हुई जा रही थी। राहुल भी उसके साथ बैठ कर कपड़े समेटने लगा।

"Do you love me ?" राहुल ने नीचे गिरे कपड़े परिधि को पकड़ाते हुए कहा।

"No!" परिधि ने गुस्से में ही सीधा जवाब दिया।

"Do you trust me ?" राहुल ने सारे कपड़े उठा चुकी परिधि से पूछा।

"भूत बन के डराने वाले पर कैसा ट्रस्ट। नो!" परिधि ने फिर सीढ़ियों की ओर जाते हुए कहा। राहुल ने जाती हुई परिधि की कलाई पकड़ ली।

"Can you forgive me ?" राहुल ने परिधि को अपनी ओर खींचते हुए कहा। अब राहुल और परिधि के बीच केवल सुखाए हुए कपड़ों का गट्ठर ही था जोकि भीग चुका था।

"What are you Doing. मोहित देख लेगा!" परिधि ने बहुत ही धीमे से कहा।

"नहीं देखेगा। उसे मैंने कफ सिरप पिला रखा है। अब बता।" राहुल ने परिधि के बाएँ कान में फुसफुसाते हुए कहा।

"देख, बाकी छत पर भी लोग आ गए हैं। कोई देख लेगा।" परिधि ने कलाई छुड़ाते हुए धीमे से कहा।

"उनकी बैन की मून! First answer me! Can you forgive me ?" राहुल ने फिर कहा।

"No !" परिधि ने राहुल के कंधे पर अपने भीगे हुए सिर को टिकाते हुए कहा।

"अच्छा ! The last one! Can you live without me ?" राहुल

ने पूछा।

''No !'' परिधि ने बिना एक भी पल गँवाए कहा।

''पता है! तूने सारे जवाब सही दिए हैं।'' राहुल ने परिधि की ठोढ़ी को उठाते हुए कहा।

''थैंक यू जी! आपका केबीसी खत्म हो गया हो तो अब मैं जाऊँ।'' परिधि ने कहा।

''रुक जा! अपना गिफ्ट तो ले जा। वो देख बाउंड्री वाल पर रखा है।'' राहुल ने बाउंड्री वाल पर रखे एक पैकेट की ओर इशारा करते हुए कहा। परिधि ने गिफ्ट को भीगते हुए देखा और तेज कदमों से उधर बढ़ी।

''झल्ला कहीं का! कुछ ले भी आया तो बाउंड्री वाल पर रख छोड़ा। भीग गया होगा। क्या है ये?'' परिधि ने गिफ्ट पैक खोलते हुए कहा। वो दरअसल एक रिंग थी। परिधि ने पहले उसे देखा। फिर राहुल को देखा। राहुल के चेहरे पर उभरते भाव से उसे कुछ समझ नहीं आया। उसने फिर से रिंग की ओर देखा। रिंग देखते ही परिधि की बिल्लौरी आँखों में चमकीले सवाल तैर गए -

''Are you proposing ?'' परिधि ने खुशी मिश्रित आश्चर्य से पूछा।

''No, I am begging.'' राहुल ने अपना बायाँ हाथ बढ़ाते हुए कहा। परिधि एक पल को खड़ी रह गई। चमकती हुए बिजली ने उसके आँसू नुमाया कर दिए। वो जड़वत हो गई।

''Will you marry me Paridhi Sharma?'' राहुल ने दुबारा पूछा।

''Yes! Yes! Yes! I will Rahul Mishra.'' कहते हुए परिधि तेजी से आकर राहुल से लिपट गई। उसने अपने दोनों आँखों के आँसू तेजी से राहुल की भीगी कमीज में जज्ब कर दिए।

''क्या कर रही है? बाकी छत पर भी लोग आ गए हैं। कोई देख लेगा!'' राहुल ने परिधि की बात दोहराई।

''उनकी बैन की मून!'' हँसते हुए परिधि ने राहुल की बात दुहरा दी। वह कुछ देर वैसे ही जड़वत राहुल के साथ भीगती रही। फिर अचानक ही पूछ पड़ी-

"अच्छा एक बात बता! इतनी एक्सपेंसिव रिंग है। ये रिंग के पैसे कहाँ से आए?" इसके जवाब में अभी राहुल कुछ कहता उससे पहले ही मैं कमरे से बाहर निकला और कहा –

"वो मत बताना। और साले तेरा कफ सिरप किसी काम का नहीं है! नींद ही नहीं आई!"

राहुल से लिपटे हुए ही परिधि ने राहुल के सीने पर दो धौल जमा दिए। दोनों थोड़ी देर यूँ ही खड़े रहे फिर परिधि ने ही कहा।

"पापा से बात कौन करेगा?"

"वही जिसे एक बोतल कफ सिरप पीकर भी नींद नहीं आई।" राहुल ने परिधि की पेशानी चूमते हुए कहा।

"नौकरी लगवा दी है तेरे दूल्हे की। आ, अब तो गले लग सकती है मुझसे भी?" मैंने कहा।

"थैंक यू।" परिधि ने मुझसे गले लगते हुए कहा।

***

इसे मैं संयोग नहीं मानता। लेकिन अगर यह था भी, तो सुखद संयोग ही था कि राहुल का ज्वॉइनिंग लेटर और मेरा ट्रेनिंग लेटर एक साथ ही आया। बटुक शर्मा का कमरा सचमुच हमारे लिए खुशकिस्मत साबित हुआ था। मैं अपने हिस्से की मिठाई पहले ही खिला चुका था। अगले दिन यानी रविवार को राहुल को अपने हिस्से की मिठाई खिलानी थी। मिठाई भी उसने जानबूझकर डोडा बर्फी ही चुनी। हम मिठाई लेकर नीचे उतरे और राहुल ने कॉलबेल बजाई।

"कौन?" बटुक शर्मा की चिर परिचित आवाज आई।

"जमाई राहुल।" राहुल ने चिर-परिचित जवाब दिया।

"कौन है?" अबकी बार फिर वही चिर-परिचित कड़क आवाज आई।

"जी मैं राहुल।" राहुल ने फिर शब्द व्यवस्थित कर दिए।

दरवाजा खुला और खुलते ही राहुल ने मिठाई का पैकेट हम दोनों से पहले ही अंदर कर दिया।

''ये किस खुशी में बेटा जी ?'' बटुक शर्मा ने पूछा।

''अंकल, लड़के की नौकरी लग गई है।'' मैंने राहुल के बारे में कहा।

''अच्छा ?'' बटुक शर्मा ने कटाक्ष किया।

''आप तो लड़के को यूँ ही डराते रहते हो। आ बेटे इधर आ।'' बटुक शर्मा की पत्नी ने राहुल को बुलाया। संभवत: परिधि ने माँ को सब कुछ बता दिया था। राहुल भी इस अजाब से छुटकारा चाहता था। वो फौरन पाँव छूने के बहाने आंटी के पास चला गया और वहीं बैठकर उनसे बातें करने लगा।

''तेरी कसरत कब से शुरू हो रही है बेटे ?'' बटुक शर्मा ने मेरी ट्रेनिंग के बारे में पूछा।

''अगले महीने से शुरू हो जाएगी अंकल। फौज की नौकरी भी कोई नौकरी है !'' मैंने मुँह गिराते हुए कहा।

''क्यों है तो तू अफसर ही ना ?'' बटुक शर्मा ने सशंकित होकर पूछा।

''हूँ तो अंकल। लेकिन फौज का तो आप जानते ही हैं। घर से दूर, परिवार से दूर। हर चार पाँच साल पर ट्रांसफर। कोई लाइफ नहीं है।'' मैंने कहा।

''वो तो सही है बेटा पर सरकारी नौकरी का मजा ही अलग है।'' बटुक शर्मा ने सांत्वना दी।

''नौकरी हो तो राहुल जैसी।'' मैंने बात छेड़ी।

''क्यों। जे कौन-सा लार्ड गवर्नर बन गया है ?'' बटुक शर्मा ने कहा।

''आजकल दिल्ली में ही पोस्टिंग मिलना उससे कम भी नहीं है अंकल। ये तो सारी जिंदगी के लिए दिल्ली वाला हो गया समझो।'' मैंने कहा।

''अच्छा ! क्या इसकी भी सरकारी नौकरी है ?'' बटुक शर्मा धीरे-धीरे लाइन पर आ रहे थे।

''हाँ अंकल। क्या कमाल की नौकरी है ! दिल्ली में ही वसंत विहार में कंपनी का फ्लैट। मतलब घर पर लड़की वाले तो सूटकेस लेकर दौड़ने लगे हैं।'' मैंने पानी मिलाया।

''अच्छा, लेकिन लड़का ठीक है नहीं ये।'' बटुक शर्मा ने कुछ सोचते हुए कहा।

''क्या बात कर रहे हैं अंकल, बहुत अच्छे घर से है ये। मैं इसके फैमिली को बचपन से जानता हूँ।'' मैंने कहा।

''देख! तेरे पे मुझे बहुत भरोसा है। एक बात बता तू वारंटी लेता है इसकी?'' बटुक शर्मा ने कहा।

''वारंटी? अंकल मैं गारंटी भी लेता हूँ इसकी। लेकिन किस बात की गारंटी अंकल?'' मैंने जैसे-तैसे हँसी दबाते हुए कहा।

''नहीं कुछ नहीं! बस ये है बेटे कि तुझसे अब क्या छुपाना। एक ही बेटी है मेरी। जे भी अगर दिल्ली में ही बस जावे तो गंगा स्नान हो जाए।''

''मैं कुछ समझा नहीं अंकल।''

''साफ बात जे है बेटा कि इस छोरे से मेरी छोरी के लगन का विचार कैसा है?'' बटुक शर्मा ने कहा।

''मतलब परिधि से?'' मैंने अंजान बनते हुए कहा।

''हाँ बेटा, एक ही बेटी है मेरी। जो इस छोरे से लगन हो जाए तो आँखों के सामने ही रह जावेगी।'' बटुक शर्मा ने कहा।

''ये तो बहुत अच्छी बात होगी अंकल; मगर आप पहले परिधि का मन भी जान लें।'' आजकल लड़कियों से पूछ लेना भी ठीक रहता है। मैंने अंजान बनते हुए कहा।

''अरे उससे क्या पूछना! जहाँ बाँध देंगे वही खड़ी हो जावेगी। बचपन से ही बहुत सीधी है छोरी। तूने तो देखा ही होगा इतने दिन में?'' बटुक शर्मा ने कहा।

''नहीं अंकल! आजतक नहीं देखा!'' मैंने बहुत ही भोलेपन से कहा।

''बता, इतनी सीधी छोरी है हमारी। तू तो बस लड़के के बारे में बता इसका कोई चक्कर-वक्कर तो नहीं। तू ही बता सकता है। तू तो बैट्समैन है उसका!'' बटुक शर्मा ने फिर अँग्रेजी की कील गलत जगह ठोक दी।

''नहीं अंकल। लड़का थोड़ा चंचल है; मगर और कोई ऐब बिलकुल भी नहीं। आपने तो देखा होगा।'' मैंने भी चुहल करते हुए कहा।

''नहीं! ऐसा कोई ऐब तो ना दिखा।'' बटुक शर्मा भी सारे एब पर पर्दा डाल गए।

''ऐब है ही नहीं। मैं जानता हूँ। मैं तो बैट्समैन हूँ उसका।'' मैंने

कहा।

"बेटा राहुल।" बटुक शर्मा ने कुछ देर सोचने के बाद पहली बार राहुल को उसके नाम से पुकारा।

"जी अंकल!" राहुल ने भी बिल्कुल दामादयुक्त लहजे में कहा।

"अपने पापा का नंबर देना जरा!" बटुक शर्मा ने काम की बात की।

"जी अंकल, लिखिए।" कहते हुए राहुल ने बटुक शर्मा को अपने पापा का नंबर लिखवा दिया। बटुक शर्मा ने दो साल में पहली बार हमें दोपहर के खाने पर बुलाया। हम दोनों खाने का वादा कर बाहर निकल गए।

"कौन से बैट्समैन का बात कर रहा था बे बटुक? देखो झाड़ी! शादी हम कर रहे हैं; बैटिंग भी हम ही करेंगे।" राहुल ने बाहर निकलते ही हँसते हुए कहा।

"पंडित, वो बटुक है। वो बैट्समैन नहीं; बेस्टमैन की बात कर रहा था।" कहते हुए मैंने राहुल की आँखों में देखा। हम बटुक शर्मा के भाषा ज्ञान पर इतना हँस चुके थे कि इस दफा हमें हँसी भी नहीं आई।

आज रास्तों, गलियों, छोले कुल्चे वालों, मैगजीन सेंटरवालों, सी डी कॉर्नर वालों से मिलते-बिछड़ते हुए हम पैदल ही पांडवनगर के फ्लाइ-ओवर पर चले जा रहे थे। दूर कहीं किसी कुल्फी वाले के स्पीकर पर नुसरत फतेह अली खान आलाप लगा रहे थे –

"दूल्हे का सेहरा सुहाना लगता है; दुल्हन का तो दिल दीवाना लगता है।"

***

आज राहुल मिश्रा की शादी हो गई है। विदाई का वक्त आ गया है। परिधि, बटुक शर्मा से लिपटकर खूब रो रही है। बटुक शर्मा अपनी बेटी का हाथ, राहुल मिश्रा के हाथ में देते हुए कह रहे हैं- "बेटे! हर अप-डाउन में इसका साथ देना।"

राहुल मिश्रा परेशान हैं कि यह किस 'अप-डाउन' की बात कर रहे हैं। मुझे छुपकर हँसने के लिए बारातियों के पीछे माकूल जगह मिल गई है।